한가한 주식 투자 전략

한가한 주식 투자 전략

발   행 | 2024년 8월 16일
저   자 | 황 용 (NYET, Daniel Hwang)
펴낸이 | 한건희
펴낸곳 | 주식회사 부크크
출판사등록 | 2014.07.15.(제2014-16호)
주   소 | 서울특별시 금천구 가산디지털1로 119 SK트윈타워 A동 305호
전   화 | 1670-8316
이메일 | info@bookk.co.kr

ISBN | 979-11-410-9835-3

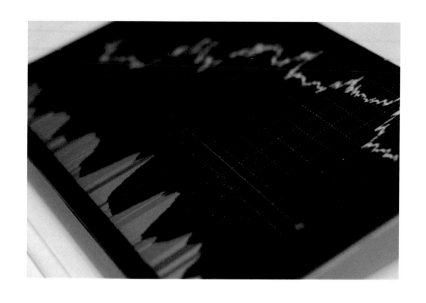

한국 시장에 가장 적합한

주식 투자 전략

한가한 주식 투자 전략

Table of Contents

Chapter 4. Daniel의 투자 경험 Essay

Chapter 5. 성공 확률 총정리와 Odds & Ends

나는 Value Trader를 지향한다.!!

필자는 27년간 주식시장에서 18년 동안은 가치투자자로 9년간은 기업 가치를 기반으로 한 Swing Trader로서 존재해 왔다. 18년간 가치투자를 지향한 것은 주식투자로 이익을 내는 가장 기본적인 원리에 따른 것인데 이익 가치나 자산가치에 비해 현저히 저평가된 종목의 주가는 당연히 올라야 하고 오를 것이라고 기대했기 때문이다. 그러나 많은 시간이 지나서야 한국 주식시장에서 이러한 기대가 잘못된 것임을 깨닫게 되었고 그 후 8년간 한국 주식시장에서 이익을 내는 공식을 찾기 위해 온갖 노력을 다 기울여왔다. KOSPI 지수가 움직여온 지난 44년간의 역사를 들여다보면 약 17년간 그리고 그 후 약 10년간의 횡보 기간이 있었다. 미국의 S&P 500지수가 장기간 우상향해 온 것과는 비례하지 않은 결과이다. 기업의 지배구조 문제, 자사주 소각이나 배당 등 주주 환원 문제, 과도한 상속(증여)세와 배당 소득세 문제, 금융투자 소득세 시행 우려와 장기투자자에 대한 세제 혜택 부재 등 투자자 입장에서 보면 투자 유인책이 없는 여러 비합리적인 요소로 인해 한국 시장의 주가가 장기적으로 상승할 수 있는 환경을 제공하지 못하고 있었기 때문이었다.

그렇다면 한국 주식시장에서 꾸준히 이익을 낼 수 있는 방법은 무엇인가? 한국 주식시장에서 장기투자로 돈을 많이 번 투자자들도 분명히 있다. 그런데 장기투자를 하다가 돈을 잃거나 주가가 상승했다 하더라도 원위치로 돌아와 많은 시간을 허송세월한 경험에 좌절했던 투자자들이 훨씬 더 많으리라 생각한다. 그렇다고 무작정 단타 매매를 하면 되는 것일까? 그것은 더더욱 방법이 아닐 것이다.

필자가 27년간 한국 주식시장을 관찰하고 연구하면서 내린 결론 즉, 해답은 두 가지로 요약할 수 있는데 첫째, Fundamental이 양호한 기업의 월봉이 산 모양을 그리며 산 아래 상승의 출발점까지 완전히 하락했을 때 몇 개월에서 1년까지 투자하는 중기투자가 가장 효율적이라는 점이고 둘째, 재무구조가 양호한 기업들이 이 책에서 제시한 여러 가지 조건에 부합했을 경우, 며칠에서 한 달까지 투자하는 Swing 매매만이 한국 시장에 가장 적합한 투자라는 점이다. 27년이라는 시간 동안 수없이 많은 종목에 대한 관찰과 매매 경험, 꼼꼼한 분석을 통해 이런 결론에 이르게 되었다.

이 책은 필자가 2023년 9월에 출간한 '듣보잡 투자자의 주식 단타 전략'에 이어 27년간 고민해 왔던 주식투자 방법론에 대한 최종 결론을 담은 책이다. 주식투자로 100% 이익을 낼 수 있는 방법은 없지만 생각보다 훨씬 높은 확률로 이익을 낼 수 있는 여러 가지 흥미로운 투자법이 이 책에 담겨있다.

필자는 2025년 2월 말에 은퇴를 계획하고 있는데 그동안 필자의 직업은 학생을 가르치는 일과 글을 쓰는 일이었지만 이제부터는 영광스러운 Value Trader가 되어 글을 쓰는 일이 직업이 될 것 같다. Value Trader가 되기 위해 무려 27년이라는 세월을 고민해 왔는데 이제 그 고민에 대한 해답을 얻어 주식시장에 새롭게 도전장을 내밀고자 한다. 이 책은 독자 여러분과 필자 자신에게 어떤 책 보다 효율적인 투자 지침서가 될 것이며 이런 방식으로 투자하여 필자는 반드시 크게 성공할 것이라 확신하고 있다.

살아있는 주식투자의 전설 워런 버핏은 젊은 나이가 아니라 60대가 되어서야 부자의 반열에 접어들었다. 11세에 시작한 그의 주식투자에 대한 열정과 노력은 지금도 계속되고 있으며 번 돈의 99%를 기부하는 돈에 대한 그의 철학은 참으로 존경받을만하다. 어린 시절 코카콜라를 도매로 떼어 낱개로 팔던 소년이 이렇게 큰 부자가 될 수 있을 것이라고 누가 예상했을까? 그가 이렇게 큰 부자가 된 것은 오로지 부자가 되기 위해 끊임없이 노력하고 도전했기 때문이다.

'구하라 그러면 너희에게 주실 것이요 찾으라 그러면 찾아낼 것이요 문을 두드리라! 그러면 너희에게 열릴 것이니'(누가복음 11장 9절)라는 성경 말씀을 생각해 본다. 워런 버핏 못지않은 열정을 가지고 끊임없이 구하며 찾고 문을 두드리고 있으니 나도 워런 버핏의 나이가되면 엄청난 부자가 되어 있지 않을까? 그리고 그 돈을 많은 사람들에게 기부할 수 있지 않을까?

이 책은 나의 주식 연구 인생 27년을 총정리하는 책이다.
이 책을 만나는 모든 주식 투자자에게 행운이 함께 하길 기원하며 성공적인 투자자가 되기 위한 나와 독자들의 '포기하지 않는 열정과 노력'을 기대해 본다.

Chapter 1.

주식투자 기본 지식

Chapter 1. 주식투자 기본 지식

1장에서는 주식 투자자라면 반드시 알고 있어야 할 기본적인 지식에 대해 다루고자 한다. 필자가 주식 관련 서적을 5권째 출판하고 있는데 집필할 때마다 첫 장에 나오는 내용이다. 솔직히 말해 같은 내용을 반복해서 가르치는 것이라 필자로서는 지겨운 부분이다. 그렇지만 이런 기본적인 내용도 모르는 투자자가 전체 투자자 중 90%는 넘지 않을까 싶다. 1장에서 나오는 내용은 주식투자를 하고 있다면 반드시 알고 있어야 할 기본적인 내용들이다. 기업의 적정가치를 분석하는 기본적 분석, 차트를 보고 매수, 매도 시점을 파악하는 기술적 분석, 주식투자는 심리 게임이기 때문에 투자자의 심리를 공부하는 심리적 분석 등은 주식투자자라면 반드시 잘 알고 있어야 할 내용들이다. 따라서 충실히 공부해야 한다. Back to Basics!!

(1) 기본적 분석 (Fundamental Analysis)

1) 기본적 분석이란?

주식투자에서 기본적 분석이란 기업의 내재가치 분석을 통해 기업의 가치를 파악하고 적정 주가 및 고평가와 저평가 여부를 파악하는 것을 말한다. 여기서 내재가치는 기업의 자산가치와 수익가치를 합한 가치를 말한다.

2) 기본적 분석을 위해 반드시 알아야 할 용어들

다음은 기본적 분석에 쓰이는 용어들인데 많이 쓰는 핵심 용어들만 설명하려고 한다. 기본적 분석을 통해 기업 가치를 판단하려면 반드시 알고 있어야 할 용어들이다. 용어가 따분하고 어렵다고 회피하지 말고 반드시 알고 있어야 한다. 가만히 생각해 보면 그렇게 어려운 내용이 아니다.

① PER(주가수익비율): 수익(Earnings)과 비교해 주가(Price)가 얼마에 형성되어 있는지를 나타내는 비율(Ratio)로 예를 들어 PER이 10이라면 투자 금액을 10년 이후에 회수할 수 있다는 뜻이다. 한국 주식시장은 오랜 기간 PER이 9배에서 13배 정도를 기록해 왔다. PER 10배 정도를 평균으로 보고 일반적으로 그 이하일 경우 저평가라고 판단하면 된다. 물론 약간 저평가된 것은 큰 의미가 없고 상당히 저평가되어 있어야 의미가 있다.

 EPS(주당순이익)-한 주식당 이익

② PBR(주가순자산비율): 기업이 가지고 있는 자산(Book Value)에 비해 주가(Price)가 형성된 비율(Ratio)로 예를 들어 PBR=1이라면 기업이 가지고 있는 자산 정도에 주가가 형성되어 있는 것이다. 만일 PBR이 0.5라면 그 기업이 가진 자산의 절반에 주가가 형성되어 있는 것이므로 상당히 저평가된 것이라 할 수 있다.

BPS(주당자산가치)-한 주식당 자산가치

③ PCR(주가현금흐름비율): 현금 흐름(Cash Flow) 대비 주가(Price)가 형성되어 있는 비율(Ratio)로 시가 총액 나누기 영업활동현금흐름 혹은 현재 주가를 주당 영업활동현금흐름으로 나누어 구한다. 예를 들어 시가 총액이 1,000억이고 영업활동 현금 흐름이 100억이라면 PCR은 10이 된다. 절대적인 것은 아니지만 10 이하면 저평가라 할 수 있다.

CPS (주당현금흐름)-한 주식당 영업활동현금흐름

④ PSR(주가매출비율): 매출액(Sales) 대비 주가(Price)가 형성되어 있는 비율(Ratio)로 예를 들어 PSR=1이라면 주당 매출액 정도에 주가가 거래되고 있는 것이다. 주당 매출액보다 낮다면 PSR은 1 이하로 표시되며 1 이하는 저평가된 것으로 볼 수 있다.

SPS(주당 매출액)-한 주식당 매출액

⑤ ROE(자기자본이익률): 기업이 자기 자본(Equity)을 가지고 이익(Return)을 얼마나 냈는지를 나타내는 지표로 예를 들어 ROE=10%라면 자기 자본으로 10% 이익을 냈다는 뜻이 된다. 자기 자본 100억으로 10억의 이익을 냈다면 ROE는 10%가 된다. 최근 노무라 증권의 자료로 한국 시장의 평균 ROE를 구해봤더니 상장사 평균 ROE가 8.8% 정도이므로 ROE는 10% 이상이면 양호하다고 볼 수 있다.

⑥ EV/EBITDA
기업의 시장가치(EV)를 세금 내기 전 영업이익으로 나눈 값으로 예를 들어 EV/EBITDA=5라면 그 기업을 시장 가격으로 매수했을 때 투자 원금을 회수하는 데 5년이 걸린다는 뜻이다. PER과 비슷한 개념이지만 기업 가치를 주주자본만으로 보느냐? (PER) 주주자본과 채권자 자본(타인자본)을 함께 보느냐?(EV/EBITDA) 이익을 회계적 이익인 당기순이익으로 보느냐? (PER) 아니면 실질적 이익인 현금흐름으로 보느냐?(EV/EBITDA)에 따라 다른 개념이라 할 수 있다.

⑦ PEG (주가 이익 증가율)
주가수익비율(PER)을 주당순이익(EPS) 증가율로 나눈 값으로 1 미만이면 저평가로 볼 수 있다. 예를 들어 A라는 회사는 PER가 10배지만 EPS 증가율이 10% 그리고 PER가 15배이고 EPS 증가율이 30%인 B라는 회사가 있다면 일반적으로 PER이 10배인 A 회사가 저평가되어 있다고 생각하지만, PEG를 구해보면 A 회사는 1, B 회사는 0.5이므로 B 회사가 오히려 저평가되어

있다고 할 수 있다.

그 밖에 반드시 알아두어야 할 지표가 두 가지 더 있다.

⑧ GP/A (매출 총이익/총자산)
이전에는 아무도 거들떠보지 않았던 지표로 사이먼 경영대학원 노비 마르크스 교수가 자신의 논문에서 가장 깨끗한 수익성 지표라고 주장하였다. 기업들이 영업이익이나 당기순이익을 어느 정도 조작할 수 있지만, 매출액에서 매출원가를 뺀 매출 총이익은 조작이 불가하므로 그 기업의 수익성을 알아볼 수 있는 가장 현실적인 지표라고 주장한 것이다. 따라서 GP/A 지표가 높으면 그 기업은 양호한 이익을 내고 있는 것이다.

⑨ F-Score
'한경 경제 용어 사전'에 따르면 F-Score는 수익성, 재무 건전성, 영업 효율성 등 기업의 상태를 파악할 수 있는 9개 재무 지표를 점수화하여 수익성이 좋고 부패 문제가 없으면서 영업 효율성이 높은 기업에 투자하는 전략을 말한다. F Score는 미국 시카고대 경영대학원 교수를 지낸 조지프 피오트로스키가 2000년 개발했다. 영업활동 현금흐름이 플러스면 1점, 신주 발행이 없으면 1점을 부여하는 식이다. 9점 만점인데 일반적으로 F Score 합계가 7점 이상이면 수익성이 높고 재무 건전성이 우수한 좋은 기업이라 할 수 있다. 일반적으로는 F Score가 높으면서 주가순자산비율(PBR)이 낮은 종목에 투자하는 것이 정석이다.

아울러, 다음 용어들은 무슨 뜻인지 이해하고 있어야 재무 상태를 파악할 수 있다.

⑩ 영업이익
순수하게 장사를 통해 얻은 이익으로 매출 총이익에서 판매 및 관리비를 빼면 된다.

⑪ 당기순이익
해당 기간에 이런저런 비용을 빼고 얻은 순이익을 말한다.

⑫ 부채비율
자기 자본과 비교해 얼마나 많은 부채를 사용하는지 측정하는 지표로 100% 이하가 양호하다. 부채가 많으면 재무 안정성이 떨어지지만, 부채가 너무 적은 것이 반드시 좋은 것만은 아니다.

⑬ 당좌비율
재무위기에 처했을 때 현금 동원 능력을 나타내는 지표로 100% 이상이면 양호하다

⑭ 유보율
기업에서 돈을 벌어 남은 잉여금을 납입 자본금으로 나눠 생긴 비율이다. 유보율이 높다는 것은 돈을 벌어 쌓아 놓은 것이 많다는 것이므로 당연히 유보율은 높아야 좋은 것이다. 다만 유보율이 반드시 다 현금으로 쌓아놨다는 의미는 아니다.

⑮ 시가배당률
배당하는 금액이 자기가 매수한 주가의 몇 % 정도인가를 나타
낸다. 예를 들어 만원에 매수한 종목의 배당금이 500원이면 시
가배당률은 5%이다.

⑯ 배당 성향
기업이 벌어들인 당기순이익 중에서 배당을 어느 정도 하는지의
비율이다. 예를 들어 당기순이익이 100억인데 50억을 배당에
사용했다면 배당 성향은 50%이 된다.

(2) 재무제표의 핵심 이해하기

재무제표는 기업의 경영 상태를 정리한 장부로 재무상태표(IFRS
도입 이전 GAAP에서는 대차대조표였다), 포괄손익 계산서, 현
금흐름표, 자본변동표, 주석 등 5가지로 구성되어 있다.

[재무제표의 구성]

재무제표의 구성				
재무상태표	포괄손익 계산서	현금흐름표	자본변동표	주석

A. 재무상태표
일정한 시점에 해당 기업이 보유하고 있는 자본, 부채, 자산에
대해 정리한 보고서로 한마디로 회사의 재정 상태를 적어 놓은

표이다. 자산은 자본과 부채를 합한 금액이며 부채는 빌린 돈, 자본은 부채를 제외한 순수한 자기 돈이라고 생각하면 된다.

B. 포괄손익 계산서
해당 영업 시점에 발생한 수익과 비용 등을 계산한 보고서이다.

[총포괄 손익까지의 계산 과정]
매출액
-매출원가=매출 총이익
-판매관리비=영업이익
+영업 외 수익
-영업 외 비용
-법인세 비용=당기순이익
+기타포괄손익
-기타포괄손익
=총포괄 손익

① 판매비 관리비: 줄여서 판관비라고 하는데 예를 들면 급여, 광고비, 대손상각비, 감가상각비 등이다.

② 영업 외 수익: 이자수익, 유형자산 처분이익, 수입 임대료 등 영업활동이 아닌 것으로 생긴 이익을 말한다.

③ 영업 외 비용: 이자 비용, 외환차손 등 영업활동이 아닌 활동으로부터 발생한 비용과 차손을 말한다.

④ 기타포괄손익: 일정 기간에 주주와의 자본거래를 제외한 모든 거래(손익거래 등)와 사건으로 발생한 모든 순자산(자본)의 변동으로 매도가능증권 평가손익, 해외사업환산손익, 현금흐름위험회피 파생상품평가손익 등의 예가 있다.

C. 현금흐름표
일정 시점에서 해당 기업의 현금 흐름을 나타낸 보고서로 해당 기간에 현금이 얼마나 들어왔는지 나갔는지를 정리한 표이다. 현금흐름표는 아래와 같이 영업활동 현금 흐름, 투자활동 현금흐름, 재무 활동 현금흐름 등 세 가지로 나뉜다.

① 영업활동 현금 흐름
상품 대금이나 수수료 등 영업활동에서 얻는 현금흐름을 적어 놓은 것이다. 어떤 상황에서도 영업활동 현금 흐름은 플러스이어야 한다. 영업활동으로 현금이 들어와야 회사를 운영할 수 있기 때문이다. 현금흐름은 당연히 많아야 좋다.

② 투자활동 현금흐름
새로운 공장 신축, 인수, 매각 등 미래를 준비하며 발생하는 현금흐름이다. 마이너스면 투자를 많이 하고 있다는 뜻으로 해석할 수 있다.

③ 재무활동 현금흐름
배당금 지급, 금융기관으로부터의 차입금, 증자, 사채 발행으로 인한 유입과 유출 흐름을 말한다. 재무 활동 현금흐름이 증가했

다는 것은 차입금이나 유상증자 등을 통해서 자본을 조달했다는 의미이며, 마이너스라면 해당 기업이 차입금이나 회사채를 상환했다는 의미이다. 따라서 재무 활동 현금흐름은 마이너스가 좋다.

[현금흐름표에 기록된 내용]

구분	현금 유입	현금 유출
영업활동 현금흐름	제품의 판매 및 용역의 제공, 수수료 수입, 배당수익, 이자수익, 법인세 환급 등	제품의 제조, 재료 구매, 종업원 급여, 사무실 임대료 지급, 이자 비용, 법인세 납부 등
투자활동 현금흐름	토지 혹은 유가증권의 매각, 대여금 회수, 고정자산 처분 등	유가증권 토지의 매입, 예금. 고정자산 취득 등
재무활동 현금흐름	단기 차입금, 사채, 증자 등	단기 차입금, 사채의 상환, 유상 감자, 자기주식 취득, 배당금 지급 등

[현금흐름표 이해하는 법]

구분	영업활동 현금흐름	투자활동 현금흐름	재무활동 현금흐름
우량기업	플러스 (영업 활동으로 돈이 유입됨)	마이너스(투자로 인해 마이너스)	마이너스 혹은 플러스 (번 돈으

- 18 -

			로 빚을 갚거나 투자하려고 돈을 빌림)
위험한 기업	마이너스 (적자 발생)	마이너스 혹은 플러스(투자할 여력이 없고 빚이 늘어남 혹은 투자하려고 돈을 빌림)	마이너스 (지나치게 마이너스면 배당금 지급도 없고 이자가 늘어남)

D. 자본변동표

일정 기간의 자본변동에 관한 정보를 제공하는 표로 자본금, 자본잉여금, 이익잉여금, 자본조정, 기타포괄손익누계액, 총계 등 항목별 크기의 변동액으로 되어 있으며 증자. 감자, 배당금 지급이나 신주 발행 등의 내용을 확인할 수 있다.

E. 주석

주석은 재무제표의 어느 부분에 기호를 붙이고 해당 내용에 대해 자세히 기재한 것을 말한다. 한마디로 기업의 어떤 사항에 대해 자세히 설명하는 글이다. 사업보고서의 맨 마지막에 등장하며 재무제표만 가지고 회사의 재정 상태에 대한 정보를 전부 제공할 수 없으므로 투자와 관련한 회사의 정보를 주석에 기록하는 경우가 많다. 특히 투자자들이 주석을 잘 확인하지 않는 점을 악용해 회사의 악재나 불리한 정보를 주석에 기록하는 때도 있다. 따라서 반드시 읽어보아야 한다. 특히 매출은 줄어드는데 매출 채권이 늘어나는지 매출은 줄어드는데 재고 자산이 늘어나는지 확인해야 한다.

3) 기업의 적정가치 계산

사실 기업의 적정가치를 정확히 계산하는 것은 그 누구도 불가능하지만 그럼에도 우리가 투자하는 기업의 적정가치를 대략 계산할 수 있어야 이 기업이 싼지 비싼지, 얼마나 안전마진이 있는지를 판단할 수 있을 것이다. 기업의 적정가치를 계산하는 법은 일반적으로 절대가치 비교법과 (대표적으로 현금흐름할인법, 잔여이익모델) PER, PBR, EPS, ROE를 이용한 상대 가치 비교법을 사용하는데 절대가치 비교법은 지나치게 추정이 많이 들어가며 요구수익률(r)의 설정에 따라 적정가치 계산이 크게 차이나고 개인 투자자가 사용하기 쉽지 않아 필자는 상대 가치 비교법을 사용하고 있다. 기업의 적정 주가는 기업의 내재가치를 구하는 것과 같은 말이다. 내재가치란 기업의 수익가치와 자산가치를 말하는데 적정가치를 구하는 방법은 여러 가지가 있지만 필자가 주로 사용하는 것은 다음과 같다.

[기업 가치 계산하는 법]	
①	12개월 추정(Forward) EPS 곱하기 적정 배수 10배
②	ROE를 보고 프리미엄이나 할인을 부여하는 방식
③	자산가치와 이익 가치에 가중치를 주어 구하는 법
④	BPS 곱하기 PBR 평균 배수로 구하는 법

적정 주가를 구할 때 주의해야 할 점은 주가는 6개월~12개월 후의 실적을 선반영한다는 점이다. 아울러 EPS가 특정한 한 해에만 급격히 늘어나거나 급격히 축소된 기업은 직전 3년간 평균 EPS를 구해서 계산하는 것이 합리적이다.

① 12개월 추정(Forward) EPS 곱하기 적정 배수 10배

예를 들어 어떤 기업의 연간 추정 EPS가 1,000원이라면 한국 시장 평균 PER 10을 곱해 적정 주가는 10,000원이 된다.

② 연간 추정 BPS에 추정 ROE를 보고 평균 이상, 이하일 경우 프리미엄이나 할인을 부여하는 방식

어떤 기업의 ROE가 8.8%(기업 평균 ROE)일 때 그 기업의 BPS만큼을 적정가치로 보고 ROE가 8.8%에서 1% 상승할 때마다 BPS에다 0.1을 더하여 곱하는 방식이다. ROE가 8.8% 이하면 BPS 정도를 적정 주가로 보고, ROE가 마이너스면 그만큼 할인하여 계산한다. 예를 들어 연간 추정 BPS가 10.000원이고 ROE가 10%라면 기준인 8.8%보다 약 1% 더 높으므로 10,000원에 1.1을 곱하여 적정 주가를 구하는 방식이다. 이 경우 적정 주가는 11,000원이 된다.

③ 자산가치와 수익가치에 가중치를 주어 구하는 법
적정 주가는 자산가치가 5분의 2, 이익 가치를 5분의 3으로 가중치를 주어 계산하는데 그 공식은 다음과 같다. 혹은 자산가치 40%, 이익 가치 60%를 더해서 계산하면 된다.

적정 주가=(자산가치×2)+(수익가치×3)÷5

A. 자산가치=BPS(주당장부가치)

B. 수익가치= EPS × 10배

(10배를 곱하는 이유는 세법에 10%로 나와 있기 때문이기도 하고 한국 시장의 평균 PER가 10배이기도 하기 때문이다. 이익 성장이 큰 기업은 프리미엄을 더 주어 계산할 수도 있다. 참고로 코스피는 역사상 PER이 9배~13배 사이에서 움직여왔다)

예를 들어,
어떤 기업의 BPS(주당장부가치)가 10,000원, EPS(주당순이익)가 500원이라면 이 기업의 적정 주가는 [(10,000원×2)]+[(500원×10)×3]÷5 =7,000원 정도로 계산할 수 있다.

관심 있는 기업의 적정 주가가 얼마인지 12개월 후의 EPS와 BPS를 추정하여 계산해 보기 바란다.

④ BPS 곱하기 PBR 평균 배수로 구하는 법
6개월에서 12개월 Forward BPS가 5만 원인 은행 종목에 은행 업종의 평균 PBR 0.6배를 적용한다면 이 은행의 적정 주가는 3만 원이 된다.

지금까지 여러 방식으로 적정 주가 구하는 법을 공부해 보았는데 누구도 정확한 적정 주가를 구하는 것은 불가능하다. 따라서 위의 여러 가지 방식으로 적정 주가를 다 구해보고 range를 파악해서 대략 이 기업의 적정 주가는 "얼마에서 얼마 사이의 범위구나."라고 이해하면 된다.

기업의 이익이 늘면 주가는 당연히 올라야겠지만, 한국 주식시장에서는 실적이 아무리 좋아도 잘 오르지 않는 업종들이 있는데 주가 자체가 아예 낮게 형성되어 있다. 달리 말해 만성 저평가 업종들인데 아래 표(코스피 지수 대비 PER 낮은 업종)에 등장하는 업종들과 '지주사'는 되도록 배당 목적으로만 투자하거나 시장 하방 때 방어주로 투자하거나 혹은 주가 폭락 시 기술적 반등을 노리는 단기 투자용으로만 사용하기 바란다. 아무리 실적이 좋아도 주가가 별로 안 오르는 업종들이다. 종목 번호 9로 시작하는 중국기업에도 투자하지 않는 것이 좋다.

1. 은행/보험/증권 (금융업종) 2. 철강 3. 조선 4. 건설 5. 유통
6. 운수장비 7. 유틸리티(전기/가스) 8. 자동차 9. 종이, 목재
10. 통신

한국 주식시장에서 위 업종들은 평균적으로 PBR 0.4~0.8 정도에 주가가 형성되어 있다. 만성 저평가 되어 있다는 것이다.

4) Korea Discount 해소를 위한 정부의 Value-Up 정책
위 참고의 글에서 언급한 것처럼 아무리 실적이 좋아도 주가가 안 오른다는 것은 그 종목의 주가 상승을 기대하고 주식을 매수하는 사람이 없다는 뜻이다. 필자가 책의 머리말에서도 언급했듯이 한국 주식시장의 Discount 현상이 너무 심화 돼 있다 보

니 정부에서 일본 주식시장을 벤치마킹하여 한국 주식시장의 가치를 높이기 위해 Value-up 프로그램을 시행하고 있다. '한경 경제 용어 사전'에 따르면 "기업 Value up 프로그램은 한국 정부가 코리아 디스카운트 현상을 해결하기 위해 일본 모델을 참고하여 도입한 정책으로 2024년 2월 26일 발표됐다. 금융위원회가 제시한 핵심 내용은 상장사가 PBR(순자산비율)과 ROE(자기자본이익률)를 비교 공시하고 기업 가치 개선 계획 등을 공표할 것을 권고하는 것이다. 개선 우수기업을 모아 상장지수펀드(ETF)를 도입하겠다는 계획도 덧붙였다. PBR이 1보다 낮다는 것은 회사를 청산한 가치가 시가 총액보다 많다는 것을 의미한다.

주요 목표는 상장 기업이 주주 가치를 높이기 위해 배당 확대 및 자사주 소각과 같은 조치를 취하도록 유도함으로써 증시를 강화하는 것이다. 프로그램은 세제 혜택, 코리아 밸류업 지수 포함, 스튜어드십 코드 반영 등을 통해 기업의 참여를 촉진할 예정이다. 이러한 노력은 기업 가치를 높이고, 투자자들이 이를 투자 결정에 반영하도록 유도하여 자본 시장의 선순환을 이끌어낼 것으로 기대된다."라고 적고 있다.

[네이버 지식백과] 기업 밸류업 프로그램 [business value-up program] (한경 경제용어사전)

Value up 프로그램이 성공하기 위해서는 상법 개정을 통한 기업의 지배구조 투명화와 소액주주 보호, 기업의 주주에 대한

환원율 제고, 상속세 및 증여세 완화, 배당소득 분리과세, 장기 투자자에 대한 세제 혜택, 금융투자 소득세 폐지 **등의 정책이 반드시 뒷받침되어야 한다.**

5) 저평가의 기준은 무엇인가?

그렇다면 도대체 저평가의 기준은 무엇인가? 업종에 따라 약간 다르겠지만 지표의 의미로만 해석하면 아래와 같을 때 저평가라 고 할 수 있다.

① PBR 이 1 이하일 경우

② PER 이 10 이하일 경우

③ PCR 이 10 이하일 경우

④ PSR 이 1 이하일 경우

⑤ ROE 나누기 PER의 관계를 이용하여 저평가 판단하기

미래 추정 ROE로 PER을 나누어 2배 이상이 나오면 저평가라 할 수 있다.

⑥ ROE와 PBR의 관계를 이용하여 저평가 판단하기

최근 주식시장 ROE 평균이 8.8%, 약 9%이므로 어떤 기업의 미래 추정 ROE가 20% 정도 되면 상식적으로 PBR이 2배 정 도는 되어야 한다. 즉 주가가 프리미엄을 받아도 된다는 것이다.

(2) 기술적 분석 (Technical Analysis)

1) 기술적 분석이란?
기술적 분석은 주가의 역사와 행보를 분석하여 저항과 지지 그리고 추세를 알아내고 매수, 매도 시점을 파악하는 것을 목적으로 한다. 기술적 분석의 핵심은 캔들, 이동평균선, 거래량, 보조지표에 대해 분석하여 주가의 방향을 추정해 보는 것이다.

2) 캔들
주가의 움직임을 표시하는 막대로 주가의 하루 움직임을 파악할 수 있다.

① 주요 캔들의 모양과 의미

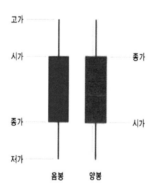

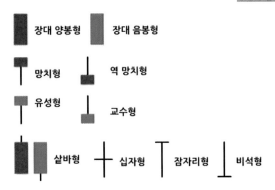

장대 양봉형	장대 음봉형
망치형	역 망치형
유성형	교수형
샅바형	십자형	잠자리형	비석형

A. 장대 양봉의 의미

바닥에서 첫 장대 양봉은 작전 세력의 입성과 더불어 주가가 지속해서 상승할 가망성이 높음을 의미한다.

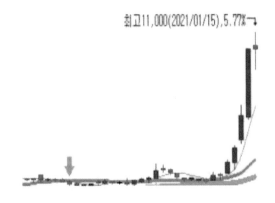

최고11,000(2021/01/15),5.77%

B. 장대 음봉의 의미

첫 장대 음봉은 주가가 지속해서 하락할 가망성이 높음을 의미한다. (다음 그림 참조)

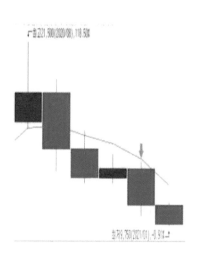

3) 이동평균선 (MA)

여러 날 주가의 움직임을 점으로 찍어 선으로 표시한 것으로 주로 사용하는 것으로는 5일, 20일, 60일, 120일, 200일, 240일 이동평균선이 있다.

① 이동평균선의 활용

이동평균선은 지지선과 저항선의 역할을 하며 단기 이동평균선

이 장기 이동평균선을 뚫고 올라가는 골든크로스 매매와 단기

이동평균선이 장기 이동평균선을 뚫고 내려가는 데드크로스 매매에 활용된다. 아울러 이격도(이동평균선들이 떨어져 있는 정도)를 보고 매매에 도움을 받을 수도 있다.

② 5일 이동평균선이 만들어지는 원리

 1일부터 5일까지의 주가평균은 10,200원이다. 2일부터 6일까지의 주가평균은 10,300원이다. 3일부터 7일까지의 주가평균은 10,400원이다. 평균값인 10,200원, 10,300원, 10,400원에 점을 찍고 같은 원리로 계속 선을 잇는다. 5일 이동평균선은 5일간 주가의 평균을 점으로 찍어 이은 선이다.

일자(일)	1	2	3	4	5	6	7
주가(원)	10,000	10,100	10,200	10,300	10,400	10,500	10,600

③ 이동평균선의 종류
사람마다 약간 차이가 있지만, 필자는 아래와 같이 단기와 장기 이동평균선을 구분하고 있다.

A. 단기 이동평균선―5일, 10일, 20일(생명선)
B. 중기 이동평균선- 60일
C. 장기 이동평균선-120일, 200일, 240일

 (필자는 장기추세를 판단하는데 200일 이동평균선을 설정해

놓고 사용한다.)

④ 이동평균선의 활용
A. 현재 주가 위에 있는 이동평균선들은 저항선 역할을 한다.
B. 현재 주가 밑에 있는 이동평균선들은 지지선 역할을 한다.
C. 20일 이동평균선이 아래로 기울어져 있는 송복은 매수하지 말고 20일 이동평균선이 하락하다가 평평해지면서 고개를 막 드는 시점에 매수해야 한다.

⑤ 이동평균선의 정배열과 역배열
A. 정배열은 단기 이동평균선이 장기 이동평균선 위에 차례로 배열된 것으로 주가가 지속해서 상승하고 있음을 의미한다. 위에 물려 있는 매물이 적어서 상승하기가 쉽다.

[정배열일 때의 Chart 모습]

B. 역배열은 이동평균선이 장기 이동평균선부터 차례로 배열된

것으로 위에 주가가 지속해서 하락하고 있음을 의미한다. 위에 물려 있는 악성 매물이 많아서 반등할 때도 위 이동평균선의 저항을 받고 주가가 상승하다가 윗 꼬리를 달고 종종 주저앉게 된다. 주가가 제대로 상승하려면 큰 거래량이 필요하다.

[역배열일 때의 Chart 모습]

⑥ 골든크로스와 데드크로스

A. 골든크로스-단기 이동평균선이 장기 이동평균선을 뚫고 올라가는 상황 (매수 신호)

B. 데드크로스-단기 이동평균선이 장기 이동평균선을 뚫고 내려가는 상황 (매도 신호)

4) 지지와 저항

① 지지: 주가가 하락하다가 어떤 가격 이하로 더 이상 떨어지지 않고 횡보하는 경우를 지지라 한다. (아래 그림의 밑 부분에서 주가가 노란 막대 부분 아래로는 내려가지 않고 있다. 이 그림에서는 약 7,600원 정도가 지지 가격이 된다.)

② 저항: 주가가 상승하다가 더 이상 어떤 가격을 돌파하지 못하고 어떤 가격 부근에서 주춤하는 경우를 저항이라 한다. (아래 그림의 윗부분에서 주가가 노란 원 부분을 돌파하지 못하고 있다. 이 그림에서는 약 13,000원 정도가 저항 가격이 된다.)

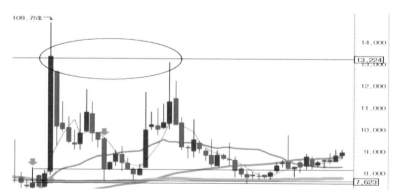

[지지와 저항]

5) 돌파

오랜 시간 동안 주가가 어떤 의미 있는 가격을 넘어 더 상승하지 못하고 횡보하다가 많은 거래량과 함께 의미 있는 가격을 넘어 강하게 상승할 때 이를 '돌파'라 한다. 대개 의미 있는 가격을 돌파하면 주가가 더 상승하는 경우가 많은데 이때 따라붙는 매매법을 '돌파 매매'라고 한다. 아래 그림을 보면 저항선을 돌파한 주가가 더 상승하고 있다.

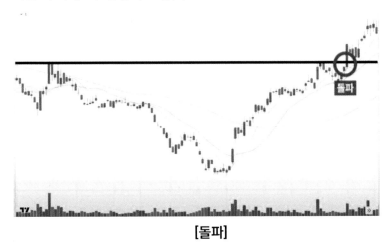

[돌파]

6) 거래량

① 거래량이란?

거래량은 기술적 분석에서 가장 중요한데 거래소 안에서 하루에 거래된 주식 수를 말한다.

② 거래량의 해석

A. 거래량은 주가의 실체이다.

B. 거래량 바닥은 주가 바닥이다.

C. 바닥에서 첫 거래 폭발은 추세 전환 신호이다.

D. 거래량은 실체, 주가는 그림자이다.

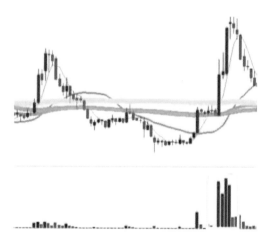

E. 위의 그림에서 보듯이 바닥권에서 거래량이 폭발하며 처음으로 주가가 크게 상승하면 추가 상승할 가망성이 아주 높다. 위 차트에서 첫 장대 양봉 이후 주가가 크게 상승하는 것을 볼 수 있다.

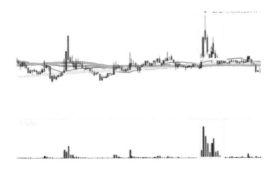

F. 위의 그림에서 보듯이 꼭지에서 거래량이 폭발하며 주가가 크게 하락하면 추가 하락할 가망성이 크다.

[거래량과 주가와의 관계 정리]

거래량 증감	의미
대폭 증가	고점에서는 하락, 저점에서는 상승
대폭 축소	주가 횡보 혹은 소폭 상승/하락
변화 없음	주가 횡보 혹은 소폭 상승/하락

5) 주식투자에 많이 쓰이는 보조지표
아래 보조지표들은 주가의 위치와 매수, 매도 시기를 파악하는 데 도움을 주므로 여러분들이 사용하는 HTS에 설정하여 참고하

는 것이 좋다. 아래의 보조지표에 대한 자세한 설명은 생략하지만, 다음의 보조지표만큼은 반드시 공부하여 활용하기 바란다.

① RSI
② MACD Oscillator
③ Stochastics Slow
④ AD 라인 혹은 OBV
⑤ Bollinger Band

6) 차트 분석은 정말 효과가 있을까?

컴퓨터 과학자 문병로 교수에 따르면 [메트릭 스튜디오, 김영사 2014년] 대다수 차트 패턴은 효과가 없는 것으로 밝혀졌고 일부는 효과가 있었다고 한다. 미국 차트 분석가인 앤드루 로, 지앙왕 교수, 해리 마메이스키 교수가 1962년부터 1996년까지 차트 패턴의 효과를 검증해 보았지만 역시 효과가 없는 것으로 결론 내렸다.

또한 버튼 메키엘 교수도 548개의 종목을 대상으로 32개의 차트 패턴 효과 검증에 나섰지만, 효과가 없는 것으로 밝혀졌다.

필자의 경험은 위에서 언급한 연구 결과와는 전혀 다르다. 아니, 실제로 주식시장에서 주가가 움직이는 process는 위의 주장과는 완전히 다르다.

"기술적 분석이 효과가 있느냐?"에 대한 필자의 견해를 피력하면, 27년간 주식시장을 면밀히 연구해 보니 기술적 분석이 절대적으로 유용하다고 단언 할 수 있다. 한국 시장은 기본적 분석보다는 기술적 분석으로 주가의 움직임을 더 잘 예측할 수 있다. 이 책에 기록된 투자법의 성공 확률에서도 알 수 있지만 주가가 하락하다가 방향을 바꿔 상승 방향으로 향하고 있으면 주가가 더 오를 확률은 70%지만 횡보하거나 내려갈 확률은 30%밖에 되지 않는다. 믿기 어렵다면 독자 여러분이 바닥에서 거래량을 터뜨리고 막 올라오는 종목들을 연구해 보기 바란다. 기술적 분석이 더 유용한지 기본적 분석이 더 유용한지 금방 알게될 것이다. 바닥에서 거래량을 동반하고 큰 장대 양봉을 만든종목은 그 후 얼마간 상승하는 방향으로 변동성이 커질 확률이훨씬 크기 때문에 변동성이 있어야 먹고사는 Trader들에게는 기술적 분석이 매우 유용하다. 필자의 오랜 경험에 비추어 기술적분석은 단기매매자들에게는 항후 주가의 방향을 예측하는 절대적인 도구라 할 수 있으므로 위에서 기록한 주장과 필자의 견해는 완전히 다르다.

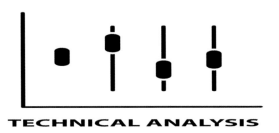

TECHNICAL ANALYSIS

(3) 심리적 분석 (Psychological Analysis)

유럽 주식투자의 거장 앙드레 코스톨라니의 말처럼 결국 '주식투자는 심리 게임'이다. 주식에 투자하다 보면 폭락장이 오거나 개별 종목에서 크게 손실을 보아 심리적으로 공황 상태에 처하게 되는데 이때 마음을 다스릴 수 있으려면 평상시 많은 심리적 훈련이 필요하다. 아래 내용을 잘 읽어보고 여러 편견에 빠지지 말아야 하며 혹시 폭락장이 오면 현명하게 잘 대처해야 주식시장에서 살아남을 수 있다.

1) 주식 투자자들의 비이성적 행태 (버려야 할 편견)

① 인지 오류
정보를 체계적으로 해석하지 못하고 확률 계산이 불가함. 읽은 책도 없고 연구도 안 하고 실전 경험이 없어 투자하려고 해도 아는 것이 없음.

② 처분 효과(손실 회피)
돈을 버는 것보다는 잃는 것에 민감하다. 2억 버는 것은 기뻐하나 1억 손절매는 절대 못 하는 손실 회피 성향.

③ 과잉 확신
자기 능력과 실력을 과대평가하는 경향.

④ 확증 편견
다른 사람들의 의견은 무시하고 무조건 자기만 옳다는 주장.

⑤ 투자 중독
매일 종목을 들여다보며 매일 주식을 사고 싶어 하는 경향. 투자 횟수가 늘어날수록 매매 비용 부담과 더불어 손해 볼 가망성이 훨씬 큼에도 불구하고 단기 욕망을 제어하지 못하는 것.

⑥ 전망 망상 편견
아무도 알 수 없는 미래를 "알 수 있다"라고 전망하고 예상하는 것. 이 종목 사면 오른다고 점쟁이 노릇을 하는 주식 카페나 유튜브의 소위 자칭 고수 추천자를 쫓아다니는 것.

⑦ 통제 환상 편견
감정을 배제하고 대단히 이성적이고 기계적인 매매를 해야 함에도 자꾸 인간의 감정이 개입되어 투자 결과를 망치는 것.

⑧ 사후 확신 편견
분명히 맞는 투자 전략을 사용하여 양호하게 투자했음에도 과정은 무시하고 결과를 남과 비교해 가면서 전략을 자주 수정하는 것과 "거봐! 그럴 줄 알았어!" " 아 ! ~할걸" 하면서 결과론을 이야기하는 편견.

⑨ 스토리 텔링 편견

"누가 어떻게 해서 돈을 벌었대"라는 이야기를 듣고 멋진 이야기에 혹하는 것.

⑩ 권위 편견
"전문가가 뭐라고 했어. 그러니 이렇게 해야 해" 전문가의 의견을 그대로 받아들여서 투자하는 오류. 주식투자는 아무도 믿지말고 이성적, 기계적으로 냉정하고 객관적으로 전략을 짜야 하며 바른 전략은 끝까지 밀고 나가야 한다. 결과에 대한 책임은 투자자 자신에게 있을 뿐이다.

⑪ 일관성 결여
'주식 Chart를 장기적으로 보면 주가는 오르락내리락을 반복하며 결국 우상향한다.' 그렇다면 평가 손실을 보는 시기가 있다 하더라도 저평가 우량주나 ETF를 적절한 가격에 사서 인내하면 되는데 개인 투자자들 대부분은 팔랑귀라 '손실은 크게 이익은 짧게'를 실천하면서 가만히 있었으면 누릴 수 있는 이익 대신 샀다 팔기를 반복하면서 탐욕과 공포 때문에 복을 다 차 버리는 현상.

⑫ 휴리스틱(heuristics) 오류
체계적이고 세밀하면서 합리적인 의사 결정이 아닌 어림짐작, 주먹구구식 의사 결정의 오류를 말함.

⑬ 앵커링 효과 (Anchoring effect)의 오류
특정한 수치나 이미지 때문에 투자자의 판단이 흐려지는 현상. 예를 들어 어떤 종목의 주가가 만 원 이하로 떨어지면 반드시

매수해야 한다는 생각.

2) 작전 세력들의 '개미 털기' 중 심리적인 동요

어떤 기업에 상승 모멘텀이 발생하여 상승하는 종목에 개미들이 달라붙으면 작전 세력들이 일부러 주가를 폭락시켜 개미들이 손해 보고 매도하게 하는 전략을 '개미 털기'라고 하는데 이때 작전에 속아 겁이 나서 매도하면 큰 손실을 보게 된다. '개미 털기'의 목적은 주가를 낮춰 더 싼 값에 매집하고 달라붙는 개미들에게 겁을 주어 주가를 쉽게 조종하기 위함이다.

3) '폭락장'에 대처하는 자세

필자의 경험에 의하면 개인 투자자들이 가장 힘들어하는 시기는 개별 주에 크게 물려 손절매를 하거나 폭락장에 물려 오랜 기간 주가가 회복되지 않을 때이다. 오랫동안 주식에 투자 해온 전문가들은 폭락장이 오면 어떻게 대처할까?

1세대 가치투자자 '라이프 자산운용 이채원 의장'에 따르면 그의 폭락장 대처 자세는 다음과 같다고 한다.

> 1단계: 두 배로 열심히 일하면서 전문가들의 책으로 마음을 달랜다.
> 2단계: 다 포기하고 무협지를 읽는다.
> 3단계: 시간이 지나길 기다린다.
> 방법이 없다. 잊고 기다리는 수밖에 없다.

약세장은 주가 폭락으로 인해 투자자들에게 엄청난 정신적 충격을 가져다준다. 아무리 신중하게 종목을 선정하고 조심스럽게 매수하더라도 모든 종목의 주가가 시장의 영향을 받아 폭락하기 때문이다. 이때 주식투자의 성패는 지극히 심리적인 요인이 결정하게 된다. 계좌 손실이 크게 나서 "더 하락하면 어쩌지?"하는 걱정 때문에 손절매해 버리는 사람은 실제로 내 계좌에서 돈이 날아가 버려 결국은 주식투자로 큰 실패를 맛보게 된다. 손절매하고 다른 복구 대안이 있으면 모르지만, 필자는 27년 투자하면서 약 여덟 번 정도의 폭락장을 겪어 왔는데 내가 잘못 매수한 것이 없었기 때문에 손절매하지 않고 끝까지 버텨 결국 큰 이익을 내고 매도할 수 있었다. 약세장에 심리가 무너지지 않으려면 항상 다음과 같은 원칙을 지키면서 종목을 잘 선정하고 단기에 크게 마이너스가 나더라도 심리적으로 인내해야 한다.

① 기업 가치를 철저히 분석하고 저평가된 종목을 매수한다.
② 은행이자 이상 배당 주는 종목을 매수한다.
③ 너무 급하게 매수하지 말고 천천히 매수한다.
④ 약세장에 마이너스가 크게 나면 심리를 잘 다스려 약세장이 끝날 때까지 배당받으면서 잘 버틴다.
⑤ 매수단가 근처에 왔을 때 심리적으로 쫓겨 빨리 팔아

버리면 나중에 주가는 더 크게 가므로 천천히 대응한다.

4) 주식투자 대가들의 심리 조언

월가의 위대한 펀드매니저였던 [피터 린치]는 다음과 같이 말한다.

① 주식투자로 돈을 벌려면 주가 하락에 대한 두려움 때문에 주식시장에서 서둘러 빠져나오는 일이 없어야 한다.

② 주식투자자의 운명을 결정하는 것은 머리가 아니라 배짱이다.

③ 하락장에서 당신이 불안한 이유는 쓰레기 같은 회사에 공부도 안 하고 당신이 평생 모은 돈을 몰빵해 놓았기 때문이다.

④ 수익을 당연하게 여기는 생각은 주가가 큰 폭으로 하락하면 확실하게 치유된다.

⑤ 부동산에서 돈을 벌고, 주식에서는 돈을 잃는 이유가 있다.

집을 선택하는 데는 몇 달을 투자하지만, 주식 선정은 몇 분 만에 끝내기 때문이다.

⑥ 어떤 기업이든 공부하지 않고 주식을 사면, 카드를 보지 않고 포커 게임에 임하는 것과 같다.

살아 있는 주식투자의 전설[워런 버핏]은 다음과 같이 조언한다.

① 주식시장은 인내심이 없는 사람들의 돈을 인내심이 있는 사람들에게 옮겨 주는 곳이다.

② 투자는 복잡한 것이어서 전문가에게 맡겨야 한다는 것은 속설이며 개인 투자자 자신이 연구만 제대로 한다면 투자만큼 단순한 것도 없다. 개인 투자자가 기업의 가치평가를 제대로 할 수 있다면 의외로 단순한 투자기법으로도 좋은 수익률을 올릴 수 있다.

③ 투자가치를 분석하기 위해 미적분 계산을 할 수 있다면 나는

아직도 신문 배달을 하고 있었을 것이다. 종목의 가치분석은 발행 주식 수를 나눌 수 있는 나눗셈 정도로 충분하다.

④ 부자는 시간에 투자하고 가난한 사람은 돈에 투자한다.

⑤ 나는 경기나 주식시장을 예측하려고 하지 않는다. 예측할 시간에 기업들을 연구해야 한다.

⑥ 잠자는 동안에도 돈이 들어오는 방법을 찾아내지 못한다면 당신은 죽을 때까지 일해야만 한다.

[주식투자에서 심리의 중요성을 일깨우는 다른 격언들]
⑦ 주식은 심리 싸움이다—앙드레 코스톨라니
⑧ 주가는 희망과 공포의 교차점에서 결정된다.
⑨ 주식시장은 10%만 fact가 지배하고 나머지 90%는 심리가 지배한다.
⑩ 주식투자는 기술이 아니라 철학이다.
⑪ 주식투자 최대의 적은 자기 자신이다.
⑫ 인간에 대한 이해가 전제되어야만 투자에 성공할 수 있다.

Chapter 2.

중기 투자 전략

Chapter 2. 중기 투자 전략

한국 주식시장은 미국 시장처럼 장기간 우상향하는 시장이 아니
기 때문에 한국 시장에 장기간 투자한다는 것은 상당한 Risk를
동반하는 일이다. 아래 그림에서 보듯이 한국 시장은 지난 44년
간 상당히 오랜 기간 박스권에 갇혀 있었으나(노란 원 부분) 미
국 시장(S&P500)은 비교적 장기간 우상향해 왔다.

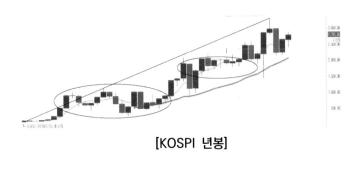

[KOSPI 년봉]

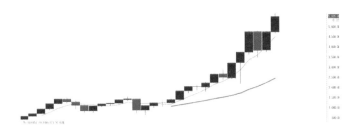

[미국 S&P500 년봉]

한국 시장에서도 장기간 상승하는 주식이 일부 있을 수 있 겠지만 훨씬 많은 수의 종목이 과거에 비해 실적은 훨씬 좋아졌지만 10년 이상이 지나도 주가가 횡보하거나 심지어 더 하락하는 경우도 많다. 따라서 필자는 한국 시장에서는 장기투자보다는 1개월에서 길어야 1년 이내의 중기 투자를 하는 것이 훨씬 효율적인 투자라고 생각한다.

 그렇다면 어떤 방식으로 중기 투자를 할 것인가? 아마, 많은 투자자들은 월봉의 상태와 상관없이 실적에 비해 저평가된 종목 을 사야 한다고 생각할 것이다. 저평가 종목을 사서 장기간 보 유하는 것은 주식투자로 이익이 나는 가장 기본적 Process이겠 지만 필자가 연구한 바로는 저평가된 종목을 포함하여 Fundamental이 크게 이상 없는 기업의 주가가 월봉으로 봤을 때 밑바닥에서 산 모양을 그리면서 크게 상승했다가 산 아래까 지 완전히 떨어진 종목을 매수하여 1개월에서 1년 정도 보유하 는 것이 훨씬 더 효율적이고 성공 확률이 높은 투자라는 결론에 이르게 되었다. 필자는 이것을 'Mountain Type 종목' 투자라고 명명하고자 한다.

아울러 우선주 중에서 끼가 있는 종목(작전 세력이 자주 입성하 는 종목)의 월봉이 산 모양을 그리고 있을 경우에도 중기 투자 가 가능하며 고배당주를 배당락이 막 끝난 달에 분할 매수하여 배당락 전까지 보유하는 것도 안정적인 수익률을 가져다줄 수 있을 것으로 생각한다. 그렇다면 필자가 주장하는 투자가 어떤 것인지 알아보도록 하자.

(1) Mountain Type 종목 투자 전략

위에서 언급한 것처럼 기업의 재무구조가 양호한 종목이 월봉상 바닥을 기고 있다가 크게 상승하여 산 모양을 완성한 후 다시 밑바닥 시점까지 완전히 내려온 종목을 분할 매수하여 10% 이상의 이익을 목표로 투자하는 것이 Mountain Type 종목 투자 전략(월봉)이다. 사람마다 목표 수익률이 다르겠지만 여기서는 10% 이상의 이익이 나면 성공으로 규정하며 상당히 안전한 중기 투자 전략이므로 필자는 단기 매매에 비해서 많은 금액을 투자하고 있다.

그렇다면 구체적으로 어떻게 투자하는 것인지 아래 그림을 보자. '세화피앤씨'라는 종목의 월봉 Chart이다. 우선 확인해야 할 것은 이 기업의 재무구조이다. 네이버 증권의 종합정보에서 확인해보면 재무구조가 별 이상이 없는 기업임이 확인된다.

기업실적분석

주요재무정보	최근 연간 실적		
	2021.12	2022.12	2023.12
	IFRS 별도	IFRS 별도	IFRS 별도
매출액(억원)	397	379	412
영업이익(억원)	54	8	20
당기순이익(억원)	49	13	28
영업이익률(%)	13.72	2.18	4.75
순이익률(%)	12.27	3.48	6.72
ROE(%)	14.69	3.60	7.25
부채비율(%)	13.46	9.62	10.16
당좌비율(%)	213.44	628.74	587.67
유보율(%)	773.00	795.32	846.49

두 번째로 확인해야 할 것은 "얼마에 매수할 것인가?"인데 아래 그림의 왼쪽 부분을 보면 위 종목의 주가가 장대 양봉을 보이면서 3개월간 지속적으로 상승하다가 첫 상승의 출발점(거래량이 크게 터지면서 올라간 시점)까지 완벽하게 하락하는 모습을 보이고 있다. (노란색 원부분). 이때 월봉 상 처음으로 산 모양이 완성된 시점(월봉상 음봉)을 노려야 한다. 필자가 아래 그림에 월봉상 바닥 선을 그어보니 그 가격대가 995원이었다. 만약 위 종목을 995원에서 1,100원 사이에 매수하고 2개월만 인내했더라면 50% 정도의 이익을 얻을 수 있었을 것이다. 월봉이 Mountain type 모양인 종목을 고르는 방법은 52주 신저가를 기록하는 종목, Fundamental이 멀쩡한 기업 중에 월봉이 완전한 산 모양인 것을 찾으면 된다. 물론 평소에 여러 종목의 움직임을 관찰하다가 기업은 우량하면서 월봉이 완전히 산 모양을 이룬 종목을 골라 관심 종목에 입력하는 것도 가능하다.

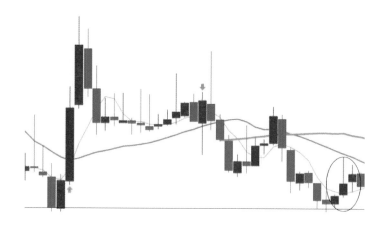

위의 예시를 통하여 어떻게 투자하는 것인지 대충은 이해하셨을 텐데 다른 예시를 들어 설명해 보도록 하겠다. 아래 그림은 '모나미'라는 종목의 월봉이다. 우선 해야 할 일은 "이 기업의 재무구조가 큰 이상이 없는가?"이다. 네이버 증권의 종합정보에서 확인해 보면 2023년 실적은 적자였지만 2024년 1분기 실적이 흑자 전환하면서 Fundamental에는 큰 이상이 없어 보인다.

기업실적분석

주요재무정보	최근 연간 실적		
	2021.12	2022.12	2023.12
	IFRS 연결	IFRS 연결	IFRS 연결
매출액(억원)	1,322	1,495	1,415
영업이익(억원)	51	63	-23
당기순이익(억원)	157	33	-57
영업이익률(%)	3.83	4.20	-1.60
순이익률(%)	11.90	2.22	-4.05
ROE(%)	16.48	3.05	-5.84
부채비율(%)	93.70	104.89	98.34
당좌비율(%)	119.29	80.59	56.70
유보율(%)	437.17	438.44	400.52

둘째로 확인해야 할 것은 거래량을 크게 터뜨리면서 올라간 시점까지 완전히 내려온 가격대를 확인해야 하는데 아래 그림에서 그 가격을 확인해 보면 2,550원 정도 된다. 이 종목은 안타깝게도 그달에 무려 1,640원까지 하락하였다. 따라서 항상 음월봉을 확인하고 그달 넷째 주에 5일간 분할 매수하는 것이 단가를 낮추는 전략상 좋다.

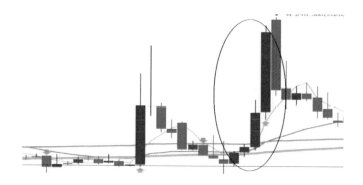

하지만 평균단가 2,600원에 매수했더라도 4개월 정도 인내했더라면 최고가가 만 원이 넘었으므로 300%에 가까운 이익을 얻을 수 있었을 것이다.

다음은 신신제약의 월봉이다. 재무구조를 네이버 증권 종합정보에서 살펴보면 큰 이상이 없다.

기업실적분석			
	최근 연간 실적		
주요재무정보	2021.12	2022.12	2023.12
	IFRS 연결	IFRS 연결	IFRS 연결
매출액(억원)	740	919	1,026
영업이익(억원)	-13	54	60
당기순이익(억원)	-14	44	46
영업이익률(%)	-1.81	5.90	5.85
순이익률(%)	-1.96	4.74	4.53
ROE(%)	-2.66	7.70	7.67
부채비율(%)	108.59	103.61	100.37
당좌비율(%)	76.90	72.14	60.29
유보율(%)	624.18	684.67	731.35

아래 그림에서 매수해야 할 가격대를 살펴보면 6,400원에서 6,500원대인데 그 사이 가격(아래 검은 선 부분)에 매수하고 2 개월 인내했더라면 약 20% 정도의 이익을 얻었을 것이다. (노란 원 부분).

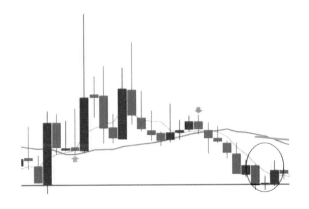

다음은 한국정보공학의 월봉이다. 네이버 증권 종합정보에서 살펴보면 재무구조에 큰 이상이 없다.

기업실적분석

주요재무정보	최근 연간 실적		
	2021.12	2022.12	2023.12
	IFRS 연결	IFRS 연결	IFRS 연결
매출액(억원)	1,718	1,054	1,156
영업이익(억원)	35	18	1
당기순이익(억원)	49	38	23
영업이익률(%)	2.02	1.74	0.05
순이익률(%)	2.84	3.56	1.96
ROE(%)	10.89	7.91	4.44
부채비율(%)	79.23	80.23	59.34
당좌비율(%)	119.37	105.39	128.12
유보율(%)	331.21	1,032.55	1,070.90

아래 그림에서 산 모양을 완성하는 첫 음봉 부분의 가격대를 살펴보면 3,380원에서 3,500원대인데 그 사이 가격(아래 검은 선부분)에 매수하고 2개월 정도 인내했더라면 약 39% 정도의 이익을 얻었을 것이다(노란 원 부분).

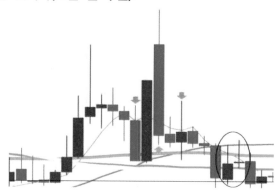

월봉이 Mountain Type인 종목에 중기 투자하는 방법을 정리해보면

1) 해당 기업의 재무구조에 큰 이상이 없는지 확인한다.
2) 월봉을 보고 크게 상승을 시작한 시점까지 주가가 완전히 산 모양을 이루며 하락했는지 살펴본다.
3) 주가가 산 아래까지 내려온 첫 시점을 잡아 해당하는 달의 마지막 주에 며칠간 분할 매수한다. (월봉 저점이 지속 상승 하면 서 완전한 산 모양이 안 만들어지면 투자가 불가하다.)
4) 기술적 매도 시점에 따라 수개월에서 1년 이내로 보유한다. (지나친 욕심은 화를 부를 수 있으므로 적당한 이익에 매도한다.)

5) 되도록 기업 내용이 좋으면서 시가 총액이 작은 종목을 고른다. 중 소형주가 상승 탄력이 훨씬 크기 때문이다.

6) 기업의 성장성에 큰 이상이 없으면 월봉상 밑바닥에 왔을 때 여러 번 투자할 수 있겠지만 딱 한 번만 기술적 반등을 노리는 것이 성공 확률을 높이는 전략이다.

(2) Mountain Type 종목 연구

지금까지 위에서 여러 번의 예를 통해 필자가 말하는 중기 투자 전략이 첫째, 어떤 식으로 종목을 고르는 것인지? 둘째, 어떤 가격대에 매수해야 하는지 충분히 이해했을 것이다. 어떤 종목의 월봉 Chart를 펼쳐봤을 때 완벽하게 산 모양을 이루지 않은 종목은 투자할 수 없으므로 억지로 산 모양이라고 판단하고 함부로 투자하지 않기를 바란다. 그렇다면 이런 종목들은 수개월 보유 후 얼마나 상승했는지 필자가 연구한 기업들을 살펴보자. 아래에 필자가 연구한 100종목은 인위적으로 선정한 것이 아니라 무작위로 선정한 것이며 수익률 계산은 월봉이 거래량을 터뜨리며 상승을 시작한 부근 즉 완전히 밑바닥까지 내려온 부근에 해당하는 월봉의 중간 가격에 매수했다고 가정하고 수개월 후 월봉 최고가와의 차이를 계산한 것임을 밝혀둔다.

연번	종목명	최고(저)가 수익률(%)	성공/실패	보유기간 (약)
1	세화피앤씨	51%	성공	2개월
2	모나미	286.5%	성공	4개월
3	신신제약	22.9%	성공	2개월
4	한국정보공학	39.1%	성공	2개월
5	기업은행	10.4%	성공	2개월
6	신세계	23%	성공	1개월
7	삼성물산	9.5%	실패	1개월
8	경농	35.1%	성공	1개월
9	NE능률	14.8%	성공	2개월
10	디에이피	20%	성공	1개월
11	플레이디	27.6%	성공	1개월
12	우진플라임	42.1%	성공	1개월
13	에이치엘사이언스	45%	성공	1개월
14	웰킵스하이텍	511.6%	성공	8개월
15	LG전자	302%	성공	10개월
16	제이티	51.3%	성공	1개월
17	컴퍼니케이	48.4%	성공	2개월
18	피엔씨테크	20%	성공	1개월
19	한국전자금융	20.5%	성공	1개월
20	LG생활건강	37.8%	성공	3개월
21	제일일렉트릭	9.7%	실패	1개월
22	기산텔레콤	62%	성공	1개월
23	롯데케미칼	17.4%	성공	2개월
24	미래컴퍼니	168.9%	성공	3개월
25	KG모빌리언스	16.3%	성공	2개월

연번	종목명	최고(저)가 수익률(%)	성공/실패	보유기간 (약)
26	와이어블	43.3%	성공	3개월
27	HD한국조선해양	52.9%	성공	4개월
28	라이온컴텍	77.9%	성공	3개월
29	에이텍모빌리티	20.6%	성공	3개월
30	아모레 G	−42.0%	실패	4개월
31	아모레퍼시픽	37%	성공	3개월
32	에스티아이	143%	성공	4개월
33	삼성에스디에스	7.8%	실패	4개월
34	소프트센	56.1%	성공	5개월
35	LG디스플레이	30.1%	성공	2개월
36	플랜티넷	39.8%	성공	1개월
37	혜인	19%	성공	2개월
38	안국약품	11%	성공	1개월
39	경동제약	12%	성공	2개월
40	대한뉴팜	21%	성공	3개월
41	샘표식품	20.7%	성공	3개월
42	대성미생물	76.8%	성공	8개월
43	푸른저축은행	113%	성공	3개월
44	덕성	196%	성공	11개월
45	엔씨소프트	−24%	실패	12개월
46	제주은행	36.6%	성공	1개월
47	삼성출판사	113.9%	성공	4개월
48	태웅로직스	60.3%	성공	3개월
49	라이온컴텍	12.8%	성공	2개월
50	동방선기	32.3%	성공	6개월

연번	종목명	최고(저)가 수익률(%)	성공/실패	보유기간 (약)
51	한독크린텍	16%	성공	6개월
52	인산가	11.3%	성공	3개월
53	제이씨현시스템	83%	성공	3개월
54	엔피디	26.3%	성공	3개월
55	DH오토리드	24.3%	성공	2개월
56	엔에프씨	17%	성공	1개월
57	우주일렉트로	35.3%	성공	1개월
58	모헨즈	22%	성공	1개월
59	나무기술	111.3%	성공	5개월
60	에스와이	44%	성공	2개월
61	HL_D&I	27.5%	성공	2개월
62	상신브레이크	31.4%	성공	3개월
63	아진산업	204.4%	성공	7개월
64	티엘비	81.1%	성공	4개월
65	그래디언트	27.5%	성공	2개월
66	메타바이오메드	14.1%	성공	2개월
67	두올	19,1%	성공	2개월
68	중앙백신	5.3%	실패	2개월
69	비츠로테크	47%	성공	1개월
70	화천기계	18.6%	성공	1개월
71	드림씨아이에스	26.5%	성공	2개월
72	한국내화	27.5%	성공	3개월
73	성문전자	28.2%	성공	1개월
74	씨큐브	21.7%	성공	3개월
75	YBM넷	15%	성공	1개월

연번	종목명	최고가 수익률(%)	성공/실패	보유기간 (약)
76	옵투스제약	29.2%	성공	2개월
77	오상자이엘	18%	성공	1개월
78	DRB동일	12%	성공	2개월
79	효성오앤비	27.6%	성공	3개월
80	아세아텍	21.7%	성공	3개월
81	양지사	16.1%	성공	1개월
82	인지디스플레	18.5%	성공	1개월
83	모베이스전자	10.2%	성공	2개월
84	휴메딕스	40%	성공	3개월
85	S&K 폴리텍	20%	성공	4개월
86	아이컴포넌트	80.1%	성공	1개월
87	애경케미칼	45.6%	성공	2개월
88	슈프리마에이치큐	94.3%	성공	9개월
89	크리스탈신소재	23.5%	성공	2개월
90	셀바이오텍	12.1%	성공	4개월
91	파버나인	10.1%	성공	2개월
92	SK아이테크놀로지	-20.1%	실패	2개월
93	모베이스	27.4%	성공	1개월
94	야스	63.1%	성공	10개월
95	세중	20.7%	성공	1개월
96	KB오토시스	89.5%	성공	7개월
97	유니테크노	52.7%	성공	7개월
98	폴라리스우노	26.4%	성공	2개월
99	더블유에스아이	21.7%	성공	2개월
100	핌스	22.1%	성공	1개월

위의 Mountain Type 중기 투자법에 대해 여러 가지 통계를 작성해 보니 보유기간은 평균적으로 대략 2.78개월 정도 되고 최고가 평균은 44.83%, 성공 확률은 93%였다. 믿기지 않는다면 독자 여러분들이 직접 연구해 보시길 권한다. 독자 여러분들도 기업 가치는 큰 이상이 없는데 장기간 주가가 하락하여 월봉이 그 이전 상승 시점(코로나 음봉의 경우에는 밑꼬리는 치지 않고 몸통만 계산한다.)까지 완전하게 하락한 기업의 첫 음 월봉을 확인한 후 4주째에 분할 매수 하고 수개월에서 1년 이내로 중기 투자한다면 상당히 좋은 성적을 거둘 수 있을 것이다.

(3) 고배당 종목 투자 전략

배당주에 투자한다면 다음과 같은 점에 주의해야 한다.

1) 배당 수익률은 기업의 실적이나 경영 상황에 따라 매년 달라지므로 반드시 배당하는 연도의 기업 실적이나 경영 상황을 확인해야 한다.

2) 최대 주주 지분율이 높은 기업이 배당을 많이 할 가능성이 높다.

3) 저평가 여부를 확인하여 고평가된 종목은 매수하지 않는다.

4) 수년간 빠짐없이 꾸준하게 배당을 주는지 확인한다.

5) 재무 안정성 및 현금흐름을 확인한다.

6) 오너 리스크는 없는지 확인한다.

7) 회사의 성장성에 따라 주가 상승도 누리면서 장기간 꾸준히 배당받는 전략을 써도 되지만 배당 수익률보다 주가 상승을 노리고 1년만 투자하려면 배당락 직후에 분할 매수 한 후 배당락 직전에 매도해야 한다.

아래에 등장하는 기업들은 3년 이상 꾸준히 배당을 주거나 1년에 많은 금액을 배당했지만, 앞으로도 배당이 유망한 기업들이다. 아래의 기업 중에서 재무구조가 우량하고 영업 이익과 순이익이 꾸준한 고배당 기업을 잘 골라 투자해 보자.

연번	기업명	3년 지속 평균 배당률
1	크레버스	9.33%
2	대신증권2우B	9.69%
3	대신증권우	9.7%
4	대신증권	8.4%
5	현대차3우B	8.42%
6	현대차우	8.25%
7	현대차2우B	8.24%
8	정상제이엘에스	7.42%
9	도이치모터스	6.12%
10	HS애드	6.32%
11	세아특수강	6.89%
12	광주신세계	6.3%
13	삼성화재우	8.33%
14	삼성화재	6.3%
15	삼성카드	7.83%
16	SK텔레콤	6.22%
17	JB금융지주	8.42%
18	서원인텍	6.32%
19	우리금융지주	8.18%
20	한국자산신탁	6.57%
21	한국기업평가	6.17%
22	삼양사우	4.82%
23	BNK금융지주	7.81%
24	삼양홀딩스우	5.84%
25	하이트진로2우B	5.61%

연번	기업명	3년 지속 평균 배당률
26	삼성증권	6.52%
27	현대해상	6.59%
28	대현	4.64%
29	삼호개발	4.76%
30	DB손해보험	6.61%
31	하이트진로홀딩스	5.04%
32	모토닉	4.73%
33	에이스침대	4.02%
34	KT	5.91%
35	HD현대	8.08%
36	KPX홀딩스	5.7%
37	롯데칠성우	4.56%
38	KCC글라스	5.29%
39	TKG휴켐스	4.65%
40	한국금융지주우	7.09%
41	한국금융지주	5.42%
42	NH투자증권우	8.9%
43	NH투자증권	8.04%
44	금호석유우	6.97%
45	금호석유	4.16%
46	리드코프	7.73%
47	LS증권	4.4%
48	효성	6.1%
49	세아베스틸지주	6.57%
50	동부건설	6.05%

연번	기업명	3년 평균 배당률
51	미래에셋증권우	5.14%
52	DB금융투자	5.64%
53	유안타증권우	7.09%
54	유안타증권	5.37%
55	한국쉘석유	8.71%
56	코리아에셋투자증권	5.9%
57	LK 삼양	6.98%
58	POSCO홀딩스	4.17%
59	예스코홀딩스	13.58%
60	HS 화성	5.77%
61	코리안리	6.51%
62	한국토지신탁	5.55%
63	유수홀딩스	6.21%
64	에이티넘인베스트먼트	4.28%
65	KB금융	5.69%
66	아이마켓코리아	6.17%
67	애경케미칼	4.3%
68	S-Oil우	6.91%
69	SJM홀딩스	5.03%
70	한양증권우	6.14%
71	한양증권	8.06%
72	GS우	6.91%
73	GS	5.64%
74	에스에이엠티	6.78%
75	LX세미콘	3.86%

연번	기업명	3년 평균 배당률
76	고스트스튜디오	6.81%
77	메가스터디	7.32%
78	HDC랩스	5.21%
79	삼양패키징	3.72%
80	HL홀딩스	5.6%
81	텔코웨어	5.94%
82	한화3우B	5.5%
83	SK디스커버리우	5.41%
84	에이블씨엔씨	21.08% (1년배당)
85	인화정공	19.33% (1년배당)
86	정다운	6.26%
87	LG유플러스	5.42%
88	진양홀딩스	5.82%
89	스카이라이프	4.68%
90	삼현철강	5.77%
91	KPX케미칼	5.8%
92	신영증권	7.02%
93	푸른저축은행	6.05%
94	부국증권우	8.01%
95	부국증권	7.23%
96	기업은행	8.55%
97	동아타이어	8.43%
98	교보증권	4.94%
99	현대차증권	5.73%
100	미래에셋증권2우B	5.37%

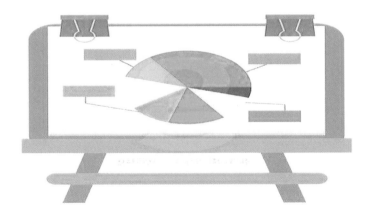

연번	기업명	3년 평균 배당률
101	유화증권우	5.3%
102	유화증권	4.93%
103	신한지주	5.47%
104	서호전기	7.03%
105	LX인터내셔널	7.2%
106	다올투자증권	4.67%

(2024년 7월 말 기준, 황토색 음영은 7% 이상 배당 주)

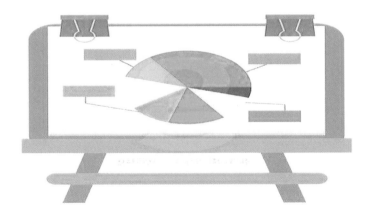

(4) 우선주 투자 전략

필자가 10년 이상 동안 우선주 주가의 동향을 면밀히 살펴 보았는데 보통주 투자보다 수익률을 제고하는 데 상당히 매력적이며 작전 세력들이 상한가를 말아 올리는 표적이 되는 경우가 많았다. 특히 시장에 특별한 주도주가 없거나 시장이 장기간 박스권에 갇혀 있을 때 우선주가 상한가를 기록하는 경우가 상당히 많았다. 다음은 이투데이에 나오는 "우선주가 보통주보다 좋은 이유"라는 기사의 내용인데 독자 여러분들의 우선주 투자에 대한 이해를 돕기 위해 소개해 본다.

[사실 그동안 우선주는 경영에 참여할 수 없다는 이유로 천덕꾸러기 신세를 면치 못했다. 그러면서도 증시가 조정기에 접어들면 잠시 투자 대안으로 인식되기도 했다. 시세차익과 배당소득이라는 두 가지 메리트를 가진 우선주에 대한 재평가 목소리가 높아지고 있다. 보통주와의 괴리율이 높다는 것은 보통주만큼 우선주가 제값을 받지 못한다는 의미다. 따라서 기업 가치가 여전히 우량하다면 우선주와 보통주의 괴리율은 좁혀질 가능성이 높으며 또한 배당은 보통주보다 많이 하는데 주가가 싸다면 배당 수익률은 당연히 보통주보다 높을 수밖에 없다. 이에 대신증권은 이것이 바로 우선주의 이름을 다시 불러야 하는 이유라고 밝히고 있다. 대신증권 김용균 애널리스트는 우선주가 보통주

보다 좋은 3가지 이유로 ▲기업경영 투명성 확대로 인한 배당 프리미엄 부각 ▲높은 배당 수익률 ▲저금리 상황에서 기업들의 우선주 소각 의지로 인한 수요 증가를 꼽았다. 하지만, 문제는 거래량이다. 김 애널리스트는 "현실적으로 우선주는 보통주보다 발행 물량이 적고 시장에서 소외돼 있는 느낌이 강하기 때문에 투자자들의 입장에서 보면 환금성에 대한 의문을 갖게 한다"며 "또한 우선주는 틈새시장 성격이 강하기 때문에 보통주 시장은 우선주의 강세를 그다지 달가워 하지 않는다"라는 거다. 결국 우선주는 투기적 개념이 아닌 잊혀진 가치의 재발견이라는 점에서 재고돼야 할 것이다. 이에 김 애널리스트는 "경영권 프리미엄을 포기할 의향이 있다면 실적이 양호한 우선주를 연말까지 보유해 배당받거나, 배당 시기가 돌아올 때 우선주 주가의 상승을 이용해 차익 실현을 고려할 수도 있다"고 언급했다. 또한 거래량 측면에서는 아무리 주가 흐름이 양호하다 하더라도 유동성이 확보되지 않은 우선주는 환금성 문제가 발생할 수 있기 때문에 일부 우선주의 대량 매입 혹은 최근 급등한 소형 우선주 투자는 유의하는 것이 좋다. 결국 김 애널리스트는 "해당 기업들의 실적이 부진할 경우 혹은 기업이 새로운 사업을 위해 사내 유보금을 늘릴 경우 배당을 하지 않을 수 있기 때문에 안정적인 수익성을 바탕으로 배당성향을 일정하게 가져가는 대형주를 선별하고 공략하는 전략이 유효하다"라고 덧붙였다.]

[From: https://www.etoday.co.kr/news/view/140590]

위의 기사를 통해 우선주 투자에 대한 장점을 이해했을 것이다. 이 책에서는 필자가 그동안 연구한 우선주 중에서 급등할 만한 끼가 있는 종목들을 소개하고자 한다. '끼가 있다는 것'은 작전 세력들이 잊을만하면 한 번씩 상한가를 말아 올리는 종목들을 말하는데 우선주가 상한가를 간다면 아래에 제시하는 끼 있는 종목들 중에서 상한가가 나올 확률이 90%가 넘을 것이다. 우선주 투자는 Mountain Type 종목 투자와 마찬가지로 장기간 월봉이 산 아래까지 하락한 종목을 골라 투자하면 된다. 아래에 제시하는 종목들이 상한가 갈 확률이 매우 높다!!

Preferred Stock

연번	기업명	상한가 횟수
1	대양금속우	11회
2	대상홀딩스우	15회
3	금호건설우	4회
4	깨끗한나라우	5회
5	코오롱글로벌우	12회
6	DL이앤씨우	1회
7	대원전선우	11회
8	SK우	1회
9	두산퓨얼셀2우B	2회
10	성문전자우	1회
11	티와이홀딩스우	6회
12	덕성우	16회
13	솔루스첨2우B	4회
14	흥국화재우	8회
15	신풍제약우	17회
16	성신양회우	7회
17	노루페인트우	10회
18	대한항공우	1회
19	코오롱모빌우	9회
20	태영건설우	12회
21	대상우	4회
22	유유제약1우	8회
23	유유제약2우B	10회
24	한화투자증권우	18회
25	대교우B	2회

연번	기업명	상한가 횟수
26	한화갤러리아우	5회
27	남선알미우	11회
28	대한제당우	10회
29	CJ씨푸드1우	3회
30	녹십자홀딩스2우	5회
31	SK증권우	1회
32	한화우	2회
33	동양2우B	4회
34	동양우	3회
35	노루홀딩스우	19회
36	두산우	1회
37	두산2우B	6회
38	SK케미칼우	1회
39	코리아씨우	1회
40	금강공업우	3회
41	현대건설우	2회
42	동부건설우	13회
43	LX홀딩스1우	1회
44	소프트센우	5회
45	해성산업1우	5회
46	대덕1우	2회
47	코리아써키트2우B	3회
48	대호특수강우	1회
49	진흥기업우B	2회
50	진흥기업2우B	1회

연번	기업명	상한가 횟수
51	한양증권우	5회
52	일양약품우	1회
53	LX하우시스우	1회
54	코오롱우	4회
55	두산퓨얼셀1우	1회
56	크라운제과우	5회
57	한화솔루션우	3회
58	NPC우	2회
59	서울식품우	3회
60	JW중외2우B	1회
61	하이트진로홀딩스우	1회
62	대덕전자1우	1회
63	호텔신라우	1회
64	크라운해태홀딩스우	5회

(시간 외 상한가를 포함한 횟수이고 2020년~2024년
7월 23일까지 통계이며 황토색 음영은 5회 이상)

Chapter 3.

단기 매매 전략

Chapter 3. 단기 매매 전략

그동안 경제 서적이나 경제 신문, 언론에서는 왜? 주식 투자할 때는 가치 투자해야 한다고 가르쳤을까? 가치 투자로 번 돈은 소중하고 단기 매매로 번 돈은 도박으로 번 돈이라 가치가 떨어지는 것일까? 주식투자자라면 누구나 가치 투자한다면서 정작 기업 가치가 저평가된 기업을 샀다가 주가는 안오르고 장기간 물려 있었던 경험을 해본 적이 있을 것이다. 주식투자로 큰 수익을 올리기 위한 완벽한 정답은 없지만 한국 시장에서 가치 투자는 절반만 맞는 것 같다. 그것도 어느 종목이 오를지 모른다. 필자는 주식에 투자한 지 18년이 지나서야 가치 투자 대신 단기 매매를 연구해 보기로 하였는데 8년 동안 각종 연구와 실험을 통해 주식투자의 해답을 찾게 되었다. 이 책에서는 필자의 연구를 통해 단기 매매로 상당히 성공 확률이 높다고 검증되었던 열 가지 단기 매매의 투자법과 성공 확률을 제시해 볼 생각이다.

단기 매매가 한국 시장에서 큰돈을 버는 유일한 전략은 아니다. 어떤 이는 장기 가치 투자로, 어떤 이는 시장 Cycle을 이용한 중기 투자로, 그리고 어떤 이는 고배당 종목에 초장기 투자로 큰돈을 벌 수도 있을 것이다. 이 책을 읽는 독자 중에서 단기 매매로 승부를 보고 싶다면 필자가 8년간 셀 수 없이 많은 종목을 관찰하고 실험하여 얻은 통계를 바탕으로 제시하는 단기 매매 진략을 이 책을 통해 배워 보기 바란다.

필자의 27년간 투자 경험과 실험, 검증, 많은 사람들과 만나 스터디하고 연구하면서 얻은 모든 것을 전수해 줄 수는 없지만 성공 확률 높은 단기매매전략에 대한 해답을 상당 부분 얻을 수 있을 것이다.

필자의 열 가지 단기매매전략의 성공에 대한 열쇠는 '추세 추종'에 있다. 주가가 바닥을 기다가 큰 거래량을 터트리고 장대 양봉, 혹은 위꼬리가 길고 몸통이 작은 양봉이라도 큰 거래량과 함께 큰 변동 폭을 시현한 그다음 날, 혹은 그다음 주에 그리고 그다음 달에 다시 주가가 더 위로 올라갈 확률이 대단히 높다는 것이다. 100% 수익을 주는 전략은 없지만 필자가 소개하는 전략들은 시장이 안좋을 때도 70% 이상, 시장이 박스권이나 상승장에서는 90% 이상 성공 확률을 보이는 전략이기 때문에 매우 신뢰할 만한 전략이라는 점을 강조하고 싶다. 물론 10%~30%의 실패 확률이 엄연히 존재한다. 그러므로 실패 확률을 줄이기 위해서 매매를 결정할 때 반드시 더 세밀하고 신중한 종목 선정이 필요하다. 아래의 매매 전략에 나오는 성공 기준은 양일봉은 그다음 날 2% 이상 상승, 양주봉은 그다음 주 언제든 4% 이상 상승, 양월봉은 그다음 달 언제든 6% 이상 상승, 상다매매는 당일 2% 이상 상승, 황금비율 매매도 5영업일 내 2% 이상 상승을 성공의 기준으로 삼았다. 독자 여러분의 획기적인 수익률 제고를 기원하면서 이제 열 가지 단기 매매 전략에 대해 좀 더 자세히 알아보자.

(1) 20일 MA 상승 반전 종목 매매 전략

1) 20일 이동 평균선 (MA) 상승 반전 종목의 연구 근거

필자는 기술적 분석에 깊은 관심을 가진 후 모든 종목의 상승 Process를 지켜보다가 20일 MA (이동 평균선) 가 단기 스윙 매매의 핵심 신호라는 사실을 깨닫게 되었다. 즉 20일 MA(이동 평균선)가 하락하다가 평평해지고 다시 위로 살짝 방향을 트는 초기에 따라붙으면 수익을 낼 확률이 높다는 것이다. 아래 그림을 보며 예를 들어보겠다.

위의 그림에서 보라색 선이 20일 MA인데 20일 MA가 아래로 내려가다가 평평해지고 방향을 위로 잡은 후에 주가가 단기적으

로 크게 상승하는 모습을 보이고 있다.

다음 그림에서 또 다른 상승 process를 확인해 보자.

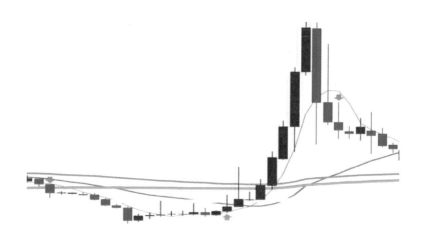

위의 그림에서도 20일 MA(이동평균선)인 보라색선의 움직임에 주의해서 살펴보면, 보라색 선이 하락하다가 평평해진 후 방향을 위쪽으로 틀자, 주가가 급등하고 있다.

이런 Process에 기반하여 필자는 20일 MA(이동평균선)가 하락하다가 평평해지고 방향을 위쪽으로 전환하는 초기에 따라붙는다면 상당히 높은 확률로 수익을 낼 수 있을 것이라 생각하고 이런 종목들을 추적 연구해 보았다. 다음 장에 291개 종목을 연구한 결과가 나오는데 시장의 상황에 따라 수익률 차이가 있을 수 있겠지만 적어도 시장이 대세 하락장이 아닌 박스권 이상의 시장에서는 상당히 높은 성공률을 보여주고 있었다.

2) 20일 MA 상승 반전 종목은 어떻게 고르는 것인가?

필자는 삼성증권의 HTS를 사용하는데 아마 이 글을 읽는 독자분들 중 상당수가 키움증권의 HTS를 사용할 것이다. 키움증권 HTS뿐만 아니라 모든 증권사의 HTS에서 확인해 보면 20 MA가 상승 반전하는 종목을 어렵지 않게 검색할 수 있다.

다음은 삼성증권 HTS에서 20일 MA가 상승 반전하는 종목을 찾는 그림이다. 빠른 종목 검색-지표 신호-20일 이평 상승반전이라는 키워드로 찾으면 해당되는 종목들이 쫙 검색된다. 이런 종목을 찾았다고 무작정 매수하면 안 되고 적어도 재무구조에 큰 이상이 없으며 비교적 바닥에 있는 종목을 골라야 안전하게 매매할 수 있다.

		No	종목명	현재가	등락폭	등락률	연속	거래량	전일거래비
R	20일 이평 상승반전	1	하이트진로홀딩스	12,490	0	0.00%	1	13	19%
R	20일 이평 상향돌파	2	가온전선	45,200 ▲	2,650	6.23%	1	288,223	117%
R	20일 이평 하향돌파	3	삼일제약	8,400 ▲	190	2.31%	1	109,748	65%
R	20일 이평 하락반전	4	CJ	127,500 ▲	12,300	10.68%	1	221,894	354%
	5일 매물대 상향돌파	5	제일연마	8,610 ▼	10	0.12%	1	1,118	35%
	5일 매물대 하향돌파	6	코오롱	15,880 ▲	80	0.51%	1	18,815	47%
R	5일 이평 상승반전	7	아세아	258,000 ▲	2,500	0.98%	1	1,994	177%
R	5일 이평 상향돌파	8	한국수출포장	2,585 ▲	20	0.78%	1	31,278	44%
	5일 이평	9	SUN&L	3,390 ▼	5	0.15%	1	10,405	33%
R	5일 이평 하락반전	10	삼양식품	659,000 ▲	25,000	3.94%	1	148,448	152%
R	5일 이평 하향돌파	11	유화증권	2,200	0	0.00%	1	2,580	104%
	60일 매물대 상향돌파	12	SGC에너지	26,800 ▲	1,550	6.14%	1	498,454	2,700%
R	60일 매물대 하향돌파	13	롯데칠성	135,300 ▲	2,400	1.81%	1	20,235	141%
	이평 골든크로스(20,60)	14	휴니드	6,640 ▲	280	4.40%	1	191,602	121%
R	이평 골든크로스(5,20)	15	대원전선	3,620 ▲	95	2.70%	1	9,913,797	204%
R	이평 데드크로스(20,60)	16	서조산업	43,600 ▲	700	1.63%	1	18,182	67%
R	이평 데드크로스(5,20)	17	일정실업	12,720 ▲	40	0.32%	2	315	16%
		18	한창제지	795 ▲	3	0.38%	2	118,905	305%
		19	진원생명과학	2,150 ▲	75	3.61%	3	430,506	78%
		20	양지1&C	634	0	0.00%	1	50,314	145%
	선택조건설명 ▲	21	대호특수강	4,010 ▲	65	1.65%	1	20,378	883%

[삼성증권 HTS Capture]

2. 20일 MA 상승 반전 종목 연구

20일 MA(이동평균선)가 하락하다가 평평해지고 다시 상승으로 방향을 전환하는 초기의 종목을 찾아 Swing 매매를 진행한다면 어떤 결과가 나올까? 필자는 이런 궁금증을 해결하기 위해 아래 노란색 원과 같이 KOSPI 시장이 박스권(2,400~2.600 사이)인 상황에서 291종목을 추적 연구해 보고 성공 확률이 얼마나 되나 확인해 보았다. 시장이 안 좋으면 아래에서 제시한 성공 확률보다 확률이 떨어질 수 있지만 최소한 박스권 혹은 상승장에서는 높은 성공 확률이 충분히 나올 수 있을 것이라 확신한다.

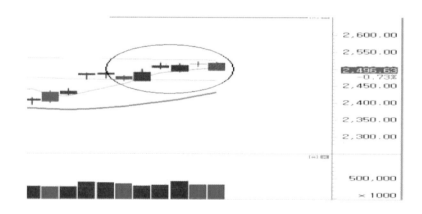

[2023. 11월 ~12월, 주가지수 2,400~2,600 사이 연구]

291개 종목을 5영업일간 추적하여 연구한 결과 크게 상승한 종목도 많았고 하락한 종목도 있었지만 상승할 확률이 훨씬 높았다. 291개 종목 중 1%에 예약 매도를 걸었을 경우 성공할 확률은 무려 95.2% (277종목), 2%에 예약 매도를 걸었을 경우 성공 확률은 79.3% (231종목)이었다.

물론 위의 투자법으로 검색된 종목을 더 잘 분석해서 고르면 상당히 큰 수익을 낼 수도 있을 텐데 필자의 연구는 일반적인 성공 확률에 초점을 맞추다 보니 위 투자법에 대한 유용성과 성공률이 과소평가 된 측면이 없지 않을 것 같다는 생각도 든다. 이런 종목들을 찾아서 더 자세히 분석한 후에 급등할 수 있는 종목을 분할 매수하고 좀 더 큰 수익에 도전해 보는 것도 좋은 투자법이 될 수 있을 것이다.

전부는 아니지만 아래에 필자가 연구한 종목들의 움직임과 1주일 동안의 최고가를 제시해 본다.

종목 명	11/3 종가	1주 내 최고가
이화공영	3,555	3,645
동구바이오	5,160	5,970
부스타	4,595	4,770
엠에스씨	5,440	5,550
서한	918	999
신일제약	6,740	7,370
오리엔탈정공	2,760	2,875
삼륭물산	3,540	3,930
포스코DX	50,000	64,000
제이에스티나	2,295	2,320
특수건설	7,720	7,950
드래곤플라이	498	559
아이즈비전	2,930	3,015
에스에이엠티	2,650	2,700
다우데이타	12,420	12,790
유비케어	4,445	4,595
판타지오	297	355
시그네틱스	1,102	1,143
코웰패션	7,350	7,340
CJ E&M	56,300	70,500
케이티알파	5,510	5,690
클라우드에어	868	917
KCI	7,130	7,310
삼지전자	7,670	7,770
레드캡투어	14,700	15,260
에코바이오	5,690	5,990
화성밸브	5,290	5,430
누리플렉스	4,665	5,780
정상제이엘	7,230	7,310
아이씨디	7,660	8,090
한국전자인증	3,880	4,615
네오위즈Hol	21,400	24,700

종목명	11/3종가	1주 내 최고가
상지카일룸	496	512
캠시스	1,444	1,472
현대바이오	31,200	40,000
코텍	7,010	7,170
바이넥스	7,770	8,310
구영테크	2,770	2,835
오상자이엘	4,995	5,200
자연과환경	1,080	1,094
토탈소프트	4,630	4,800
에이텍	12,630	12,780
KG모빌리언스	5,050	5,200
우원개발	3,300	3,300
TPC	3,470	3,610
대원미디어	11,380	12,650
인탑스	26,450	27,650
캠시스	1,444	1,472
현대바이오	31,200	40,000
코텍	7,010	7,170
바이넥스	7,770	8,310
구영테크	2,770	2,835
오상자이엘	4,995	5,200
삼진엘앤디	1,736	1,845
메디톡스	215,500	235,000
한컴위드	2,975	3,120
멕아이씨에스	2,645	3,495
엔터파트너즈	431	467
엠게임	6,300	7,090
엠로	65,500	68,100
아이컴포넌	5,190	5,700
홈센타H	1,182	1,247

종목명	11/3종가	1주 내 최고가
드림어스co	2,845	3,180
컴투스 Hol	25,750	37,130
서울 옥션	10,020	10,970
SM life D	1,900	1,945
브리지텍	6,270	6,660
삼영이엔씨	4,095	4,240
CS	1,430	1,465
국보디자인	13,400	13,600
테라젠이텍스	3,960	4,350
오텍	4,490	4,535
멀티캠퍼스	31,650	33,250
엔브이HK	2,625	2,700
엑스큐어	2,640	2,780
인피니트H	5,180	5,330
로체시스템	5,890	5,960
중앙백신	10,660	11,460
빛샘전자	4,290	4,395
아미노로직스	1,210	1,769
동국알앤에스	3,270	3,670
해성옵틱스	394	404
덕산하이메탈	6,680	7,170
유비쿼스H	12,320	13,270
HB테크놀	2,600	2,680
메디포스트	7420	7,560
컴투스	44,950	50,200
한창산업	8,620	8,870
모다이노칩	2,630	2,680
오디텍	4,420	4,450
티플렉스	3,385	3,860
유니테스트	11,450	12,050
제이티	7,580	7,900
현우산업	3,940	4,085
칩스앤미디어	37,900	40,950

종목명	11/3종가	1주 내 최고가
슈프리마HQ	6,330	6,530
에스코넥	1,862	2,180
윈팩	1,494	1,565
SDN	1,180	1,250
미래에엣벤처	4,740	4,855
씨큐브	4,650	4,965
한국정밀기계	2,520	2,725
디와이PNF	20,200	20,450
티케이케미칼	1,814	1,900
코렌텍	10,880	11,150
케이엔더블유0	8,400	8,840
디젠스	1,058	1,079
그린생명과학	2,040	2,565
큐리언트	5,690	5,970
씨엔플러스	434	445
포메탈	3,560	3,610
KX	5,130	5,230
코리아에프티	3,045	3,175
이엠넷	2,895	2,955
BGF에코머	4,110	4,400
화신정공	1,614	1,640
제이엔케이	5,210	5,390
나이스디앤비	6,050	6,200
HYTC	6,410	6780
파수	6,820	6,830(실)
핑거	8,800	9,500
코아스템켐	6,180	6,490
램테크놀러	5,120	5,240
선익시스템	20,200	23,100
에드바이오텍	3,180	3,295
코리아에셋	5,660	5,950
와이제이엠	821	945
마니커 FNG	3,230	3,275

종목명	11/3종가	1주 내 최고가
드림시큐리	3,290	3,600
덱스터	6,830	7,730
바디텍메드	18,110	20,050
유바이오로	9,860	10,530
미스터블루	1,617	1,753
인카금융S	14,100	14,350
클래시스	34,400	39,150
로보로보	4,660	4,855
러셀	2,955	3,100
원익피앤이	6,590	7,140
링크제니시스	5,720	5,690
디와이디	996	1,025
씨아이에스	9,790	10,660
한국맥널티	4,240	4,305
에이텍모빌	13,770	14,350
보광산업	5,330	5,450
슈프리마	20,400	20,800
피앤씨테크	5,160	5,290
TS인베스트	1,221	1,269
나노씨엠에스	15,020	15,400
샘씨엔에스	5,200	5,390
소프트캠프	1,477	1,546
씨티케이	5,200	5,520
디앤씨미디어	19,190	23,950
에브리봇	12,250	13,710
레인보우로보	153,200	177,000
엘앤씨바이오	32,850	34,450
카카오게임즈	25,250	28,250
HB솔루션	4,800	4,850
더네이쳐H	22,450	23,300
솔트룩스	26,700	30,400
윌링스	8,400	9,890
퀀타메트릭스	4,985	5,100

종목명	11/3종가	1주 내 최고가
엑스페릭스	3,790	3,950
KBG	8,230	8,950
현대무벡스	3,045	3,755
코퍼스코리아	2,180	2,375
루닛	180,600	188,700
네패스아크	19,280	20,350
웨이버스	1,548	1,625
브랜드엑스코	4,460	4,595
아이비김영	1,740	1,945
센코	3,045	3,090
알체라	8,330	8,790
비트나인	6,140	6,900
씨앤알리서치	1,175	1,292
옵티코어	1,396	1,504
범한퓨얼셀	19,030	19,500
유일로보틱	21,450	22,800
넥스트칩	15,800	18,040
가온칩스	35,250	39,000
나라셀라	5,150	5,820
제이아이테크	3475	3,745
모델솔루션	15,400	16,200
라온텍	7,150	7,630
컬러레이	965	977
경방	8,080	8,500
성창기업지주	1,880	1,915
DL	45,500	48,200
삼일제약	6,320	6,450
한화	23,300	24,700
한국주철관	6,440	6,690
JW중외제약	26,850	27,850
LX인터내셔	26,300	29,700
대한제분	124,100	125,000(실)
대한전선	11,860	12,900

종목명	11/3종가	1주 내 최고가
현대차증권	8,400	8,950
대한제당	3,180	3,220
코오롱	16,810	17,170
한독	12,110	14,730
범양건영	2,120	2,250
신풍	849	878
TYM	5,230	5,420
유성기업	2,895	2,950
부광약품	5,990	6,260
혜인	5,540	5,740
유안타증권	2,430	2,550
동방	1,876	1,947
한솔홀딩스	2,710	2,735(실)
NPC	5,090	5,660
삼익THK	10,350	10,760
조광피혁	50,000	50,300(실)
DRB동일	5,580	5,880
티웨이H	450	467
한신공영	7,140	7,230
성신양회	8,740	8,830
코스모신소재	160,300	181,000
파미셀	6,470	6,790
대림B&Co	4,100	4,190
원림	21,100	22,100
대한해운	1,715	1,763
삼성공조	8,970	9,180
사조산업	42,150	42,450(실)
서연	6,980	7,220
문배철강	3,065	3,100
윌비스	489	770
아남전자	1,821	2,085
SIMPAC	3,615	3,760
한샘	53,500	53,500
한화솔루션	30,750	33,150
한솔PNS	1,255	1,299

종목명	11/3종가	1주 내 최고가
에스엠백셀	1,800	1,880
현대미포조선	74,700	81,900
아이에스동	27,050	28450
유니켐	1,749	1,900
DB	1,744	1,805
대영포장	1,113	1,161
한솔케미칼	160,100	182,600
사조씨푸드	3,710	3,800
인디에프	905	916
삼성증권	37,150	39,000
KG스틸	7,220	8,450
DB금융투자	3,865	3,895(실)
SK텔레콤	49,800	50,000(실)
광전자	1,998	2,150
한국카본	12,290	12,420
대교	2,475	2,505
한국종합기술	5,700	5,760
인지컨트롤	7,980	8,410
WISCOM	2,680	2,845
한국콜마H	6,880	7,000
제이준코스	5,820	5,990
한솔홈데코	880	885(실)
케이씨	15,960	16,160
신도리코	32,050	32,550
다올투자증권	3,980	4,120
콤텍시스템	682	780
강원랜드	15,000	15,700
카카오	41,300	46,500
HDC랩스	7,470	7,650
KSS해운	8,090	8,540
대우건설	4,035	4,210
스카이라이프	6,050	6,100(실)
테이팩스	33,700	33,800(실)

종목명	11/3종가	1주 내 최고가
현대홈쇼핑	41,800	43,550
HL홀딩스	32,800	34,500
종근당바이오	21,050	25,700
삼성출판사	14,870	15,960
한세엠케이	2,240	2,360
DSR제강	4,235	4,295
용평리조트	2970	3,060
한국금융지주	54,200	58,500
금호타이어	4,395	4,690
현대리바트	8,370	8,530
휠라홀딩스	37,450	39,750
HSD엔진	8,250	8,480
그린케미칼	6,220	6,520
엔케이	982	994
효성ITX	12,160	12,210(실)
SK이노베	137,100	158,600
HJ중공업	3,435	3,520
CJ제일제당	289,500	306,500
이연제약	15,070	15,680
LX하우시스	41,050	42,350
코오롱인더	45,550	46,700
한국자산신탁	3,255	3,310
인터지스	2,285	2,405
에스디바이오	10,280	11,730
메리츠금융	51,900	54,400
삼양사	42,550	43,000
PI첨단소재	26,300	29,750
디와이파워	12,200	12,400
토니모리	4,520	4,820
샘표식품	27,250	27,700
넷마블	41,100	48,000
크라운제과	8,130	8,550
제일약품	15,440	17,150

종목명	11/3 종가	1주 내 최고가
한일시멘트	12,320	12,720
HD현대중공업	111,400	115,900
성공 확률	1% 이상 적용	95.2% (291/277성공)
성공 확률	2% 이상 적용	79.3% (291/231성공)

* 앞으로 표에 등장하는 숫자 중 파란색은 하락, 붉은색은 상승을 의미하며 검은색은 보합을 의미한다. 아울러 (실)이라고 표시된 것은 가격은 상승했지만 1% 이상 상승하지 못해 실패한 것이라는 뜻이다.

*위와 같은 종목을 매매할 때 주의 사항은 아래와 같다.

1) 전날 크게 오른 종목은 사지 말 것
2) 거래량이 적은 종목은 사지 말 것
3) 적자가 심하고 재무구조 안 좋은 종목은 사지 말 것
4) 연속 3일 이상 상승한 것은 사지 말 것
5) 유상증자 및 전환사채 발행을 확인할 것

위의 주의 사항은 반드시 확인하고 매매해야 주가가 내려가도 마음이 편하다.

(3) 5일 MA가 20일 MA 골든크로스 종목 매매 전략

1) 5일 MA가 20일 MA를 골든 크로스한 종목의 연구 근거
독자들도 알고 있듯이 5일 MA(이동 평균선)가 20일 MA(이동
평균선)를 뚫고 올라가면 골든크로스리고 하는데 왜? 골든크로스
라고 하는 것일까? 당연히 누군가에 의해 그런 종목들이 더 상
승하는 경우를 많이 목격했기 때문에 골든크로스라고 했을 것이
다. 그런데 골든크로스라고만 하지 실제 그런 종목을 찾아 투자
하면 성공 확률이 얼마나 되는지 아무도 조사한 사람이 없다.
필자가 주식투자를 잘 해보려고 27년 동안 천 권 이상의 책을
읽어 봤지만 골든크로스 종목에 투자하면 성공 확률이 얼마인지
알려주는 책은 한 권도 보지 못했다. 그래서 필자가 나섰다. 과
연 이런 종목에 투자하면 주가가 상승할 확률이 얼마나 되는지.
아래 그림을 보면 5일 MA(이동평균선)가 20일 MA (이동 평균
선)을 뚫고 골든크로스가 나자 (빨간색 5일선이 보라색 20일 선
위로 올라가자) 주가는 급등하고 있다.

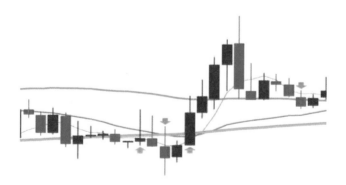

아래 그림에서 5일 MA가 20일 MA를 뚫고 올라가면 주가가 어떻게 되는지 다른 예를 통해 확인해 보자.

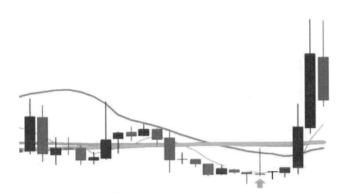

위의 그림에서 보듯이 역시 붉은색 (5일 MA) 선이 보라색 (20일 MA) 선 위로 뚫고 올라가 골든크로스가 일어난 후 주가는 급등하고 있다.

따라서 필자는 이런 종목들을 찾아 종가로 매수하여 5영업일 간 홀딩하고 있다고 가정하고 그런 종목들의 추후 주가가 어떻게 되는지 연구해 보았다.

2) 5일 MA가 20일 MA 골든크로스 된 종목은 어떻게 찾는 것인가?

앞에서 설명한 것처럼 모든 증권사의 HTS에는 이런 종목들을 찾아주는 기능이 있다. 2024년 7월 말 현재 주식투자 인구 1,407만 명 중 MTS 대신 HTS를 사용하는 사람은 거의 없지 않을까 싶을 정도로 요즘 투자자들은 거의 HTS를 사용하지 않는 것 같다. 하지만 HTS를 잘 찾아보면 엄청난 기능들이 많이 숨겨져 있다. 투자자들이 연구를 안해서 그렇지 연구하려는 자세만 갖춘다면 상당히 유용한 기능이 HTS에 많이 있다. 골든크로스 된 종목 찾는 방법도 HTS에 있는데 삼성증권을 기준으로 설명하면 빠른 종목 검색-지표 신호-이평 골든크로스(5.20)를 클릭하면 골든크로스 된 종목이 검색된다.

	No	종목명	현재가	등락폭	등락률	연속	거래량	전일거래비
R 20일 이평 상승반전	1	CJ	127,500 ▲	12,300	10.68%	1	221,894	354%
R 20일 이평 상향돌파	2	경농	10,230 ▼	70	0.68%	2	65,797	79%
R 20일 이평 하향돌파	3	아모레G	32,250 ▲	500	1.57%	2	207,172	84%
R 20일 이평 하락반전	4	원풍물산	621 ▲	17	2.81%	2	341,094	137%
5일 매물대 상향돌파	5	부스타	3,865 ▲	5	0.13%	1	3,798	72%
5일 매물대 하향돌파	6	진원생명과학	2,150 ▲	75	3.61%	3	430,506	78%
R 5일 이평 상승반전	7	조아제약	1,462 ▲	38	2.67%	1	45,324	165%
R 5일 이평 상향돌파	8	오공	2,880 ▲	35	1.23%	2	18,976	153%
R 5일 이평 하락반전	9	케이피티유	4,315 ▲	65	1.53%	1	1,440	69%
R 5일 이평 하향돌파	10	백이씨씨에스	2,345 ▼	60	2.49%	1	179,422	85%
60일 매물대 상향돌파	11	홈센타홀딩스	1,077 ▲	4	0.37%	1	45,085	109%
R 60일 매물대 하향돌파	12	로지시스	2,845 ▼	45	1.56%	1	5,940	38%
R 이평 골든크로스(20,60)	13	HJ중공업	3,540 ▼	5	0.14%	1	1,125,134	367%
R 이평 골든크로스(5,20)	14	CJ제일제당	385,000 ▲	19,500	5.34%	1	47,835	186%
R 이평 데드크로스(20,60)	15	CJ제일제당 우	152,800 ▲	5,600	3.80%	1	3,476	182%
R 이평 데드크로스(5,20)	16	동인기연	21,450 ▼	500	2.28%	2	16,946	79%
	17	아이패밀리에스씨	36,150 ▲	700	1.97%	3	368,172	77%
	18	JB금융지주	14,930 ▼	30	0.20%	1	381,273	107%
	19	휴마시스	1,690 ▲	84	5.23%	2	3,807,987	70%
	20	ACE 일본TOPIX인	2,515	0	0.00%	1	17,342	16%
선택조건설명 ▲	21	마코바이오메드	1,399 ▼	31	2.17%	1	580,141	60%

[삼성증권 HTS Capture]

위 그림에서 보면 5일 MA가 20일 MA를 골든 크로스한 종목
들이 일목 요연하게 나와 있는 것을 확인할 수 있다.

[MA Cross over 이미지, 삼성증권 HTS Capture]

(4) 5일 MA가 20일 MA 골든크로스 종목 연구

앞 장에서 20일 MA 상승 반전 종목을 어떻게 연구했는지 언급한 적이 있는데 5일 MA가 20일 MA를 골든크로스한 종목 연구도 마찬가지로 KOSPI 시장이 박스권(아래 노란색 원 부분 2,400~2.600 사이)인 상황에서 이런 종목을 찾아 투자하면 성공 확률이 얼마나 되나 확인해 보았다. 이 투자법도 앞의 투자법과 마찬가지로 시장이 안 좋으면 아래에서 제시한 성공 확률보다 떨어질 수 있겠지만 최소한 박스권 혹은 상승장에서는 필자가 제시한 것 이상의 성공 확률이 충분히 나올 수 있을 것이라 확신한다.

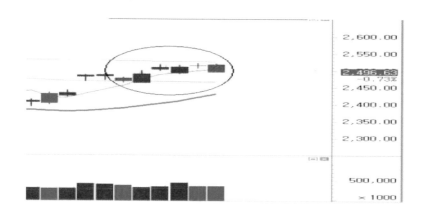

[2023. 11월 ~12월, 주가지수 2,400~2,600 사이 연구]

224개 종목을 5영업일 간 추적하여 연구한 결과 크게 상승한 종목도 많았고 하락한 종목도 있었지만 상승할 확률이 훨씬 높았다. 224개 종목 중 1%에 예약 매도를 걸었을 경우 성공할 확률은 93.3% (209종목), 2%에 예약 매도를 걸었을 경우 성공할 확률은 77.2% (173종목)였다.

다음에 등장하는 표들은 전부는 아니지만 필자가 연구한 골든 크로스 종목들의 1주일 간 주가 움직임이다.

종목 명	11/3 종가	1주 내 최고가
CS홀딩스	58800	59,700
DI동일	29950	31,450
경농	9,550	16,150
제일파마H	10,340	10,700
하림지주	6,820	7,020
대한항공	20,450	21,700
삼영	5,550	6,170
롯데정밀화학	56,800	59,300
농심	458,500	489,000
DRB동일	5580	5,880
티웨이 H	450	467
삼진제약	21,500	22,600
삼성전자	69,600	71,400
사조오양	8,240	8,340
대원전선	1,053	1,075
일양약품	14,190	15,000
부스타	4,595	4,845
무림페이퍼	2,165	2,260
태영건설	3690	3,770
한화솔루션	30,750	33,150
화천기계	4,165	4,915
삼호개발	3415	3435(실)
유니크	5,030	5,110
서한	918	999
세보엠이씨	8,520	8,650
계룡건설	13,150	13,680
영보화학	3,430	3,870
태경산업	6,910	7,030
리더스코스	2,490	2,555
브이티	19,850	20,750
서연탑메탈	3,770	3,845
TKG애강	1,187	1,210
WISCOM	2,680	2,845
KBI메탈	1,390	1,430

종목 명	11/3 종가	1주 내 최고가
경창산업	2,445	2,620
BGF	3,530	3,615
상보	1,841	1,978
동아지질	13,540	13,880
삼성물산	107,300	116,500
KT	33,250	33,500(실)
신세계푸드	38,600	40,400
아즈텍WB	1,616	1,675
TJ미디어	5,750	5,920
판타지오	297	355
SK	155,500	161,900
HS 애드	6,280	6,340(실)
NAVER	200,500	207,500
케이티알파	5,510	5,680
클라우드에어	868	915
콘텐트리중앙	12,370	13,500
우리엔터	1,503	1,529
상신브레	3,400	3,475
네오위즈H	21,400	24,700
오공	2,900	3,000
성우테크론	3,885	3,970
대아티아이	3,260	3,415
동원F&B	30,600	32,250
쎌바이오텍	11,370	11,470(실)
에스폴리텍	1,936	1,974
인터플렉스	10,380	10,570
팬스타엔터	690	703
KTis	3,090	3,130
아진엑스텍	8,490	13,540
동양에스텍	2,085	2,100(실)
이엘피	3,625	3,715
웨스트라이	1,810	1,820(실)
브리지텍	6,270	6,660
파커스	1,431	1,467

종목 명	11/3 종가	1주 내 최고가
조이시티	2,610	2,970
셀트리온제	66,700	72,900
디지털대성	5,810	6,160
인피니트헬	5,180	5,330
케스텍코리	1,859	1,950
에이치시티	8,890	8,940(실)
에프알텍	2,305	2,385
메디포스트	7,420	7,560
컴투스	44,950	50,200
제우스	35,650	41,450
모다이노칩	2,630	2,680
유진테크	43,300	47,300
팅크웨어	14,980	15,900
헬릭스미스	4,370	4,540
켐트로닉스	19,190	25,000
덕신하우징	2,015	2,080
풍강	3,665	3,740
AJ네트웍스	4030	4,085
테스	21,200	22,050
제넥신	8,450	9,410
동방선기	2,370	2,410
바이오플러	6,800	6,920
우양	5,200	5,770
티케이케미	1,814	1,900
셀바스AI	18,190	19,850
씨엔플러스	434	445
스타플렉스	3,385	3,440
와이지엔터	60,200	66,200
한국화장품	7,080	7,290
아이티센	3,530	3,730
화신정공	1,614	1,640
대한과학	6,420	6,480(실)
시티랩스	6,610	6,690
비아트론	8,350	8,600

종목 명	11/3 종가	1주 내 최고가
비플라이소프	958	990
내추럴엔도	2,190	2,270
NHN	22,350	23,750
종근당	101,500	139,800
신화콘텍	4,570	4,620
에이텍모빌	13,770	14,350
패션플랫폼	1,373	1,399
본느	2,545	2,730
시큐센	3,870	3,930
앤디포스	3,620	3,900
야스	8,860	9,390
휴엠엔씨	1,181	1,205
엔에프씨	8,210	9,260
에브리봇	12,250	13,710
동아타이어	11,650	11,860
제이시스메	11,560	13,140
엘앤씨바이	32,850	34,450
알로이스	1,381	1,421
효성첨단	374,500	399,500
마이크로디	7,520	7,700
네온테크	2,665	2,825
뷰노	38,150	42,800
뉴로메카	33,200	36,300
이지바이오	3,270	3,330
크라우드웍	30,300	32,550
에이치피오	7,690	7,880
제노코	15,870	16,330
이지트로닉	8,720	9,050
포바이포	8,540	9,930
SK스퀘어	45,250	48,300
HPSP	35,700	39,400
나라셀라	5120	5,820
OCI	108,700	111,700

종목 명	11/17 종가	1주 내 최고가
신라섬유	1,707	1,741
JW중외제약	28,900	31,250
알루코	2,870	3,405
KG모빌리	7,820	8,480
닝싱	2,230	2,320
삼천리	95,300	99,300
티웨이H	480	480
동국산업	4,640	4,945
NI스틸	5,870	6,000
S oil	67,800	70,300
한신기계	4,420	4,515
경인양행	3,705	3,765
대영포장	1,125	1,139
삼현철강	5,060	5,180
바른손	1,653	1,730
에너토크	5,890	7,000
대신정보통	1,227	1,294
한국제지	1,158	1,159(실)
비츠로테크	7,580	8,300
바텍	32,700	33,950
인트론바이오	7,350	9,870
에스폴리텍	2,475	2,465
SM life	1,908	1,990
한국전자금	5,940	6,090
지엔코	545	628
DSEN	282	289
신성델타테	42,650	44,450
에스아이리	318	353
안트로젠	13,480	13,990
와이오엠	793	835
디에이피	2,905	2,995
엘앤에프	148,100	151,800

종목 명	11/17 종가	1주 내 최고가
DSR제강	4,190	4,315
모다이노칩	2,630	2,630
엔케이	983	1,003
에이스테크	1,919	1,952
상아프론테	19,300	20,800
평화산업	1,282	1,308
S&K폴리	2,880	2,980
디아이씨	5,320	5,420
푸른기술	8,040	10,270
대창솔루션	480	489
JW 홀딩스	3,450	3,545
동방선기	2,320	2,400
하이드로리	11,860	12,320
디와이피엔	19,960	21,900
디케이락	9,110	9,380
톱텍	7,760	7,890
씨에스윈드	48,850	56,700
에스디시스	2,680	2,705(실)
아이마켓코	8,070	8,270
한국화장품	7,150	7,090
아모그린텍	12,060	12,460
아시아경제	1,377	1,377
이브이첨단	3,465	3,570
영우디에스	871	916
DSR	4,385	4,495
애경케미칼	11,720	12,970
엘티씨	8,150	9,520
에이엘티	19,130	19,480
베셀	1,614	1,700
애드바이오	3,480	4,300
휴림네트웍	448	477
HL만도	35,650	36,550
티쓰리	1,389	1,415
파인테	965	1,015

종목 명	11/17 종가	1주 내 최고가
영우디에스	871	916
DSR	4,385	4,495
애경케미칼	11,720	12,970
엘티씨	8,150	9,520
에이엘티	19,130	19,480
베셀	1,614	1,700
애드바이오	3,480	4,300
휴림네트웍	448	477
HL만도	35,650	36,550
티쓰리	1,389	1,415
이노인스트	1,200	1,255
제너셈	12,500	13,050
디와이디	991	1,040
쎄노텍	1,561	1,583
세토피아	2,280	2,340
지노믹트리	15,770	18,890
에이플러스	4,125	4,245
일동제약	16,240	17,740
엠플러스	11,930	13,350
케어랩스	4,165	4,580
HD현대	59,300	61,900
배럴	7,500	7,700
압타바이오	8,110	8,340
현대오토에버	163,300	174,300
에이에프더블	2,965	3,010
윌링스	7,610	8,350
RF머트리얼	10,610	11,040
솔루스첨단소	23,100	24,300
아이티아이	6,730	8,280
넥스트칩	17,510	19,270
핑거스토리	3,010	4,090
티이엠씨	34,950	38,150
프레스티지마	9,990	10,450
성공 확률	1% 적용	93.3%(224/209)
성공 확률	2% 적용	77.2%(224/173)

(5) 5/20/60일 MA 정배열 종목 매매 전략

1) 5/20/60일 MA 정배열 종목의 연구 근거

독자 여러분들은 Chapter.1 주식투자 기본 지식의 기술적 분석에서 정배열에 관해 공부한 적이 있다. 정배열이란 주가가 상승하면서 단기 이동평균선부터 장기 이동평균선이 차례로 놓여있는 것을 말하는데 주가가 정배열 상태가 되면 위에 악성 매물이 없으므로 아래 그림처럼 주가 상승 탄력이 매우 크다.

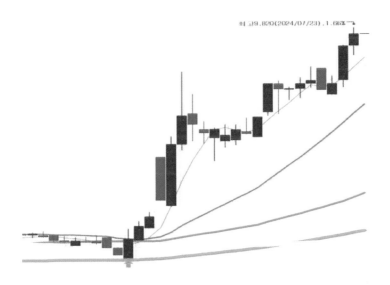

위의 그림에서 확인할 수 있는 것처럼 주가가 완전한 정배열 상태가 되면 일반적으로 급등하는 것을 볼 수 있다.

정배열 상태에 있는 다른 그림을 보고 또 어떤 공통점을 찾을 수 있는지 관찰해보자.

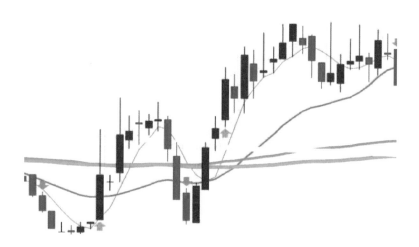

위의 그림에서도 주가가 정배열 상태가 되면 주가가 급등한다는 사실을 확인할 수 있다. 그런데 이미 월봉까지 정배열 상태에 놓이게 되면 주가가 엄청나게 급등한 상태이므로 월봉이 아닌 일봉이 완전한 정배열로 가기 직전 즉 5일 MA, 20일 MA, 60일 MA가 위에 차례로 놓여있고 120일 MA, 200일 MA, 240일 MA는 아직 역배열 상태에 있는 종목을 골라 1주일 동안 혹은 한 달 동안 투자해 보면 주가는 어떻게 움직일까? 투자 아이디어를 얻을 수 있는 어떤 유의미한 결과가 나올까?라고 생각했

던 것이 필자의 5/20/60 MA 정배열 종목에 관한 연구 근거이
다.

2) 5일/20일/60일 MA 정배열 종목은 어떻게 찾는 것인가?

위와 같은 종목을 찾는 방법은 두 가지가 있다. 역시 삼성증권
HTS를 기준으로 설명해 보겠다.

① 빠른 종목 검색-추세 패턴 검색에서 우상향으로 된 그림을
검색한다.

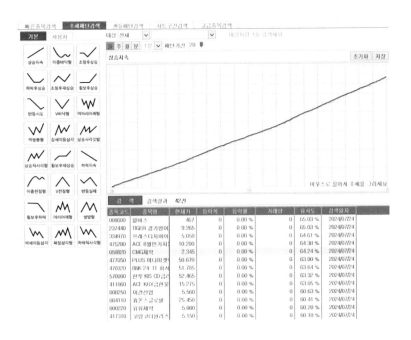

추세 패턴 검색 화면에서 상승 지속이라는 그림을 클릭하면 위와 같이 정배열 종목들이 검색된다.

② 빠른 종목 검색-지표 신호-이평 정배열(5.20.60)에서 찾을 수도 있다.

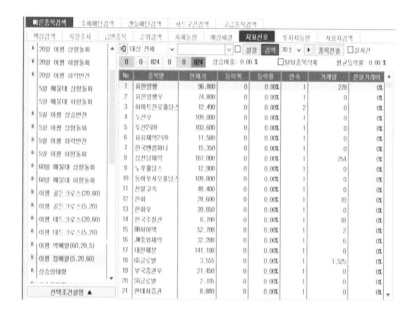

위의 두 가지 검색 방법으로 일봉이 정배열된 종목을 찾을 수 있는데 월봉이 정배열된 종목을 투자하지 않는 이유는 주가가 너무 상승하면 꼭지를 잡을 수도 있기 때문이다. 일봉상에서도 완전한 정배열이 되기 직전이기 때문에 120일 MA나 240일 MA를 뚫고 골든크로스가 날 가망성이 아주 크다는 사실에 착안하여 투자 아이디어를 얻은 것이다.

(6) 5일/20일/60일 정배열 종목 연구

5일/20일/60일 MA 정배열 종목 투자법도 앞에서 언급한 투자법들과 마찬가지로 앞에서 이야기한 박스권 시장에서 성공 확률을 조사해 보았다. 시장이 안 좋으면 아래에서 제시한 성공 확률보다 떨어질 수 있겠지만 최소한 박스권 혹은 상승장에서는 필자가 제시한 것 이상의 성공 확률이 충분히 나올 수 있을 것이라 확신한다.

필자는 위에서 제시한 검색 방법으로 5일/20일/60일 MA가 정배열된 종목을 찾아 100종목을 추적 연구해 보았다. 100개 종목을 5영업일 동안 또 한 달 동안 추적하여 연구해 보았는데 크게 상승한 종목도 많았고 하락한 종목도 있었지만, 상승할 확률이 훨씬 높았다.

5영업일 동안 100개 종목 중 1%에 예약 매도를 걸었을 경우 성공할 확률은 84% (84종목), 2%에 예약 매도를 걸었을 경우 성공 확률은 74%(74종목)였으며 한 달 동안 54개 종목의 평균 최고가 상승률은 12.77%, 한달 안에 1% 이상 상승확률은 54개 종목 중 48개로 88.9% 2% 이상 상승확률은 54개 중 45개로 83.3%였다.

아래에 등장하는 기업들이 필자가 연구한 기업들이다.

종목 명	11/3 종가	1주 최고가	한달최고가
피엔에이치	21900	25,400	25,400
모비스	5,510	5,970	6,050
앤디포스	3,620	3,900	5,270
포시에스	3170	3,150	3,150
노바렉스	13,010	13,180	13,180
클리오	26,850	33,500	33,500
LS전아	11,740	11,830(실)	18,810
그리티	3,520	3,690	3,690
지엘팜텍	1,227	1,225	1,830
농심	458,500	486,000	493,000
에이디T	25,050	25,900	30,150
알테오젠	68,800	75,000	83,500
서진시스	17,650	19,060	19,670
안랩	66,000	69,500	71,800
서희건설	1,397	1,419	1,419
에이텍	12,630	12,780	13,710
파세코	10880	11,100	11,100
조아제약	2145	2,410	2,410
파라텍	778	1,197	1,200
오스템	2,095	2,120	2,120
한일단조	2,885	2,830	2,830
한국단자	71,700	73,100	78,700
대신정통	1,256	1,264(실)	1,294
하이트론	1,821	2,460	2,460
한국큐빅	3,205	3,250	3,250
인터엠	1,630	1,750	1,750
고려제약	7,000	7,150	7,390
아가방컴	3,655	3,910	4,130
화천기계	4,165	4,915	4,750
진양폴리	7,090	7,590	7,770
광동제약	7,610	8,150	8,150
신성통상	2,125	2,150	2,275
휴니드	7,430	7,290	7,290
한국석유	15,390	14,900	14,900

종목 명	11/3 종가	1주 최고가	한달최고가
신흥	14,120	14,290	14,490
진양산업	7,090	7,340	7,560
삼영	5,550	6,170	6,170
SNT다	14,300	14,170	16,730
미창석유	73,500	77,100	78,400
쌍용CE	5,600	5,780	6,100
흥아해운	1,860	1,918	2,445
코오롱글	13,090	13,680	15,400
미원상사	165,300	167,500	167,500
신신제약	6,300	7,480	7,990
국제약품	4,630	6,270	6,560
KCC	240,500	250,500	250,500
SH에너	767	771(실)	771(실)
아세아제	39,450	39,950	41,650
삼일기업	4,205	4,335	4,335
동성제약	6,900	7,570	7,570
DI동일	29,950	31,450	33,150
중앙에너	22,550	21,700	21,700
한국앤	13,800	14,520	15,580
하이트진	20,850	21,600	23,400
성공확률			(54/48)
1% 적용			88.9%
2% 적용			83.3%

종목 명	12/15종가	1주 최고가
유유제약	5700	5,840
기아	89,300	98,900
삼화페인트	6,680	6,920
가온전선	23,650	23,900
SK하이닉	140,000	143,700
한화	25550	25,900
유니온	5,330	5,870
한국주철관	6,970	7,050
DB하이텍	60,800	61,200(실)
CJ	96,100	101,000
상상인증권	784	808
태원물산	5,010	5,280
SK증권	646	655
안국약품	8,170	10,510
조비	13,330	13,610
금양	115,000	121,900
대상	20,850	21,200
대한제당	3,230	3,455
무림SP	1,900	1,910(실)
삼화콘덴서	37,800	40,700
이화공영	3,410	3,550
삼일기업공	4,310	4,400
한진	23,350	24,950
범양건영	2,360	2,340
화성산업	10,880	11,260
국제약품	6,290	7,170
유성기업	2,945	2,980
대웅	18,050	20,150
일성신약	24,150	27,200
삼양식품	211,000	233,500
흥아해운	2,165	2,980
대한항공	23,850	24,000(실)
LG	87,400	87,300

종목 명	12/15종가	1주 최고가
KG모빌리	8,520	8,870
포스코퓨처	360,500	382,000
대한화섬	103,000	105,900
사조대림	32,600	33,900
롯데정밀화	58,900	60,900
NPC	5,410	6,230
남성	2,255	2,360
깨끗한나라	2,580	2,900
써니전자	2,505	2,495
덕성	8,150	8,980
휴스틸	5,030	5,330
둥국산업	5,150	5,220
현대차	192,800	202,000
성공 확률		
1% 적용		84%(100/84)
2% 적용		74%(100/74)

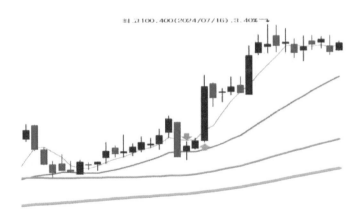

[MA 정배열의 주가 상승 모습]

(7) 52주 신고가 종목 매매 전략

1) 52주 신고가 종목의 연구 근거

여러분들은 1장 주식투자 기본 지식의 기술적 분석에서 '돌파'에 대해 공부한 적이 있을 것이나. 돌파란? 장기간 주가가 저항에 막혀 박스권에 갇혀 있다가 저항선을 뚫고 올라가는 것을 말하는데 저항선을 뚫게 되면 신고가가 나면서 주가가 더 상승하는 경향이 있다. 아래 그림에서 저항선으로 여겨지는 노란색 원 부분을 뚫으니 추후 주가가 어떻게 되었는지 확인해 보자.

위의 그림에서 알 수 있듯이 주가가 저항을 뚫으면 더 상승할 확률이 매우 높다.

또 다른 그림을 확인해 보자, 이번에도 주가가 저항선을 뚫으면 더 올라갈까?

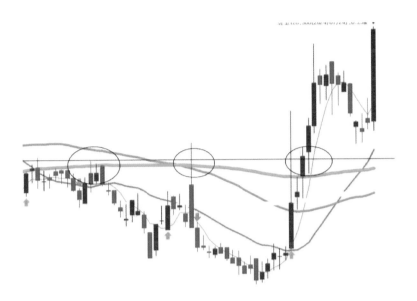

역시 위의 그림에서도 확인할 수 있듯이 노란색 원부분을 뚫고 난 후에 주가가 더 상승하고 있다.

이런 돌파의 원리를 이용하여 투자하는 것을 '돌파 매매'라고 하는데 필자는 이 원리에 착안하여 이미 주가가 꼭대기를 뚫고 52주 신고가에 있는 종목들을 신고가 초기에 잡아 투자하면 성공 확률이 어느 정도 되는지 최고가는 평균적으로 어느 정도 올라가는지 100종목을 연구해 보았다.

2) 52주 신고가 종목은 어떻게 찾는 것인가?

52주 신고가 종목을 찾으려면 역시 HTS의 힘을 빌리면 된다. HTS는 주식투자자가 투자 정보를 찾을 수 있는 보고이다. 앞으로 직장에서는 MTS를 쓰는 것이 어쩔 수 없겠지만 집에 와서는 MTS보다 HTS와 친해지는 훈련을 해야 한다.

삼성증권을 기준으로 설명하면 빠른 종목검색-시세 동향-52주 신고가를 키워드로 검색하면 해당되는 종목들이 검색된다. 이때 주의할 사항은 이미 주가가 여러 번 신고가를 기록한 것은 잊어버리고 신고가 초기에 있는 종목들만 관심을 가지고 그중에서 투자할 만한 종목을 찾아봐야 한다.

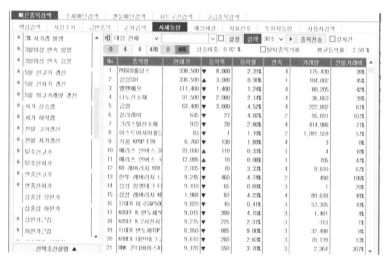

[삼성증권 HTS Capture]

(8) 52주 신고가 종목 연구

필자는 위에서 언급한 52주 신고가 종목 중 2023년 11월 24일부터 12월 1일까지, 그리고 11월 30일부터 12월 7일까지 100종목을 찾아 1주일간 주가의 움직임을 추적해 보았다.

다음에 등장하는 기업들이 필자가 찾아서 연구한 기업들이다. 연구 결과는 100종목 중 86종목이 1% 이상의 상승을 기록하여 성공 확률은 86%이었으며 2% 이상 상승할 확률은 82%였다. 그리고 이런 종목들의 최고가가 얼마나 상승하나 평균을 내봤더니 최고가 평균이 14.32%를 기록해 상당한 변동성을 보여주었다. 변동성이 크다는 것은 단기매매 할만한 매력이 있다는 뜻이다.

아래에 필자가 연구한 기업들의 주가 움직임을 관찰해보자.

종목 명	11/24 종가	1주 내 최고가
삼양식품	216,500	227,500
사조대림	33,800	34,500
태평양물산	2,965	3,165
삼성에스디	155,200	169,200
코웰패션	8,760	11,850
침스앤미디	29,100	34,900
롯데웰푸드	132,200	133,200(실)
케이씨텍	26,400	28,300
엠에프엠코	2,800	3,025
그린리소스	52,300	65,300
에이직랜드	45,600	59,200
한선엔지니	18,330	20,650
두산로보틱스	74,400	97,900
종목 명	11/30 종가	1주 내 최고가
CJ대한통운	113,100	121,000
한국앤컴퍼니	14,610	23,750
한진	25,050	26,500
리노공업	199,800	224,000
제주반도체	7,770	9,260
대상홀딩스	10,630	17,080
두산테스나	63,400	63,000
클래시스	41,700	42,500
LS전선아시	16,800	20,350
HD현대일렉	84,100	88,400
비올	9,060	9,840
SK스퀘어	51,000	50,900
HPSP	46,400	49,100
종목 명	12/1 종가	1주 내 최고가
가온전선	22,650	22,500
아세아제지	41,300	42,200
태양금속	4,740	5,080
시노펙스	5,060	5,080(실)
테크윙	9,900	10,050

종목 명	12/1 종가	1주 내 최고가
갤럭시아머니	9,110	14,200
효성중공업	214,500	214,500
에이텀	30,400	28,150
텔레필드	4,075	9,800
파라텍	1,162	1,369
프리엠스	12,370	12,790
지엔코	651	660
LIG넥스원	100,100	102,300
에프엔에스테	10,850	11,750
레고켐바이오	49,000	51,000
알테오젠	82,600	82,000
케이씨텍	27,100	27,900
비올	9,590	9,460
솔브레인	289,000	302,500
종목 명	12/5 종가	1주 내 최고가
한국앤컴퍼	21,850	23,750
한양증권	9,590	9,760
아세아제지	41,500	42,000
한진	25,350	26,500
SK디스커버	43,650	44,050(실)
에이티넘인	3,025	3,165
코웰패션	11,790	12,180
우리기술투자	7,010	8,000
리노공업	204,500	224,000
제주반도체	7,410	13,910
레고켐바이	48,700	49,700
한국타이	46,100	47,600
핑거	16,160	16,850
와이바이오	12,800	21,300
디티앤씨알	7,500	10,860

종목 명	12/6 종가	1주 내 최고가
대상	21,450	22,900
삼성증권	39,200	39,800
한국파마	26,900	29,200
텔레필드	8,690	9,800
카페24	22,150	31,600
아이티센	5,440	6,540
큐알티	16,440	16,950
종목 명	12/7 종가	1주 내 최고가
국제약품	7,100	7,900
퍼시스	31,400	32,350
심텍홀딩스	3,465	4,090
위메이드	69,400	76,400
위더스제약	12,110	12,600
종목 명	12/8 종가	1주 내 최고가
유유제약	6,600	7,180
부국철강	4,880	6,150
가비아	16,280	18,080
케이옥션	6,950	8,210
아이티센	6,280	7,980
세경하이테크	6,950	7,130
아시아나 IDT	20,800	22,950
sk디앤디	33,550	33,550
케이엔에스	105,000	115,500
종목 명	12/11 종가	1주 내 최고가
보령	11,190	12,570
엑스게이	7,550	8,310
솔브레인	293,000	299,500
부국철강	5,390	6,150
종목 명	12/12 종가	1주 내 최고가
파라텍	1,369	1,664
YBM넷	5,310	6,260
넥스트아이	955	933
삼성물산	129,200	135,000

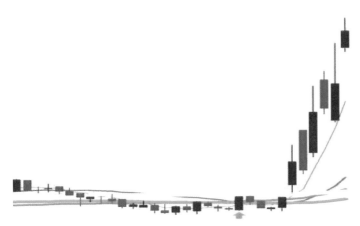

종목 명	12/12 종가	1주 내 최고가
SFA반도체	6,590	6,970
케이아이엔엑	96,400	116,000
마이크로컨	13,610	14,500
종목 명	12/13 종가	1주 최고가
삼일기업공	4,250	4,360
에프엔에스	11,500	11,750
태성	4,350	4,285
블루엠텍	51,000	48,550
바이오솔	16,800	24,050
헥토파이낸	23,550	26,800
LS머트리	31,200	51,500
퀄리타스반	34,000	47,800
	1% 적용	86%(100/86)
	2% 적용	82%(100/82)
	평균 최고가	14.32%

[52주 신고가 Image]

(9) '투자 주의' 종목 투자 전략

1) '투자 주의' 종목 연구 개요와 근거

어떤 종목이 매수세가 몰려 상한가를 시현하게 되고 과매수 상태가 되면 투자자를 보호하기 위해서 금융당국에서는 투자 주의 -투자 경고-투자 위험 순으로 경보를 울리게 된다. 그런데 이런 종목들을 자세히 관찰해보면 분명히 투자에 유의하라고 경고를 줘도 주가가 더 상승하는 현상을 종종 목격하게 된다. 일단 투자 주의나 경고를 받게 되면 해당 종목을 집중 매수하여 상한가를 만든 작전 세력들은 일부러 주가를 하락시켜 투자 주의나 투자 경고 딱지를 떼려고 한다. 그런데 주의나 경고 딱지를 뗀 후에도 주가는 더 크게 상승하는 경우가 많이 있다. 필자는 이러한 사실에 착안하여 많은 시간이 걸리기는 했지만 '투자 주의' 종목 100개의 움직임을 살펴 보고 성공 확률에 대한 통계를 작성해 보았다. 투자 경고나 투자 위험 종목에 투자 하지 않는 것은 '투자 주의'가 가장 가벼운 경보라서 주가가 더 상승할 여지가 충분하기 때문이다. 경고나 위험은 주가가 단기에 지나치게 급등한 경우이기 때문에 상대적으로 더 위험하고 먹을 것이 없다. 기업 내용이 안 좋은 회사 즉 재무 구조가 안 좋은 회사는 관심 대상에서 제외하고 재무 구조에 이상이 없는 회사가 바닥에서 상승하면서 '투자 주의'라는 경고를 받을 때 관심을 가져보자.

상승으로 인한 투자주의가 아니라 당연히 기업의 문제로 인해 하락하면서 투자 주의를 받은 종목은 투자 대상이 아니다.

아래에 나오는 기사를 확인해 보면 투자주의 종목이 변동성이 크다는 것을 알 수 있다. 항상 변동성 커야 단기 매매자들이 먹을 것이 있다.

카나리아 바이오는 투자주의 종목으로 지정됐다. 최근 영리 목적 광고성 정보의 신고 건수가 증가했고, 주가가 오르면서 스팸관여과다종목으로 지정된 것이다. 이날 투자주의 종목에 해제되면서 주가는 다시 반등하고 있다.
[https://www.news1.kr/finance/general-stock/4989570]

또 다른 기사를 확인해 보자.

투자주의 종목에서 해제된 핑거스토리 주가가 급등했다.
이날 핑거스토리는 전 거래일보다 15.7% 오른 9800원에 거래를 마쳤다. 장 개장 직후 급등세를 탄 주가는 오후 들어서도 오름세를 유지했다. 이날 주가가 급등한 것은 핑거스토리가 투자주의 종목에서 해제되며 매수세가 몰렸기 때문으로 풀이된다.
[https://www.mk.co.kr/news/economy/10568633]

기업 내용이 멀쩡한 회사 중에 '투자 주의'라는 경보가 떨어지면 바로 따라붙지 말고 주가가 피보나치 비율만큼 조정을 받을 때 관심을 가져야 한다!!

2) 투자 주의 종목은 어떻게 찾는 것인가?

삼성증권을 기준으로 설명하면 빠른 종목 검색-시장 조치-투자 주의를 키워드로 검색하면 해당되는 종목들이 검색된다. 이때 주의할 사항은 기업 내용 즉 재무 구조가 엉망인 기업은 관심을 끄는 것이 좋다. 투자 주의 종목 중에서 기업 내용이 양호하고 재료의 연속성이 있으며 바닥에서 처음 올라온 종목, 시가 총액이 비교적 작은 소형주가 성공 확률이 높다.

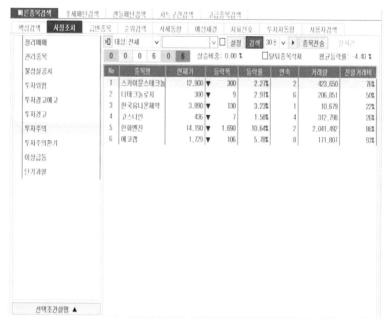

[삼성증권 HTS Capture]

(10) '투자 주의' 종목 연구

필자는 '투자주의' 종목이 얼마 나오지 않아 시간이 오래 걸리기는 했지만 '투자주의' 종목 중 1. 기업 내용이 양호하고 2. 비교적 상승 끼가 있으며 3. 시가 총액이 크지 않은 종목들을 100개 골라 어떤 움직임을 보이는지 추적 관찰하였다. 관찰 결과 100종목 중 무려 93종목이 5영업일 이내 1% 이상 상승하였으며 2% 이상 상승한 종목은 89종목으로 2%에 예약 매도를 걸어두었다면 성공 확률은 89%였다. 아울러 각 종목이 최고 얼마나 상승하는지 확인해 보고 평균을 구해 봤더니 평균적으로 최고가는 12.35% 상승하였다. 그만큼 변동성이 크다는 뜻이다.

아래에 필자가 연구한 투자주의 기업 100종목이 있다. 각 종목의 움직임을 관찰해보고 의미 있는 투자 아이디어를 얻어 보자.

종목 명	12/4 종가	1주 내 최고가
태고사이언	13,540	14,350
제주반도체	7,330	11,660
엘티씨	12,220	14,520
대유플러스	237	255
종목 명	12/5 종가	1주 내 최고가
메아이씨에	5,650	6,270
갤럭시아머	11,830	14,200
종목 명	12/6종가	1주 내 최고가
갤럭시아에스	3,700	4,085
SG	1,540	1,860
케일럼	3,930	4,120
소룩스	30,250	39,000
종목 명	12/7 종가	1주 내 최고가
수젠텍	9,250	9,450
종목 명	12/8 종가	1주 내 최고가
오픈놀	12,650	12,900
한신기계	4,845	5,120
카페24	28,900	31,400
디티앤씨알오	9,800	10,860
종목 명	12/11 종가	1주 내 최고가
파멥신	1,891	2,250
엑스페릭스	6,880	7,160
디앤씨미디	26,000	27,800
이오플로우	4,860	5,210
종목 명	12/12 종가	1주 내 최고가
씨씨에스	2,655	2,950
베셀	2,045	2,580
덕성	8,630	8,980
아센디오	1,000	1,124
리튬포어스	6,180	8,870
대상홀딩스	13,650	16,770
한국앤컴퍼	21,000	22,500
비아이매트	9,950	9,960(실)
시티랩스	7,350	7,660

종목 명	12/13 종가	1주 내 최고가
유니켐	1,979	2,045
대상홀딩스	14,950	16,390
더코디	7,020	8,080
종목 명	12/14 종가	1주 내 최고가
보성파워텍	3,050	3,220
오하임앤컴	4,460	5,100
태성	4,185	4,110
종목 명	12/15 종가	1주 내 최고가
오킨스전자	6,710	7,550
네오셈	6,330	7,650
엑스페릭스	6,290	7,880
에코프로머티	169,000	223,000
종목 명	12/18 종가	1주 내 최고가
아이티센	7,980	9,400
종목 명	12/19 종가	1주 내 최고가
LS머트리	45,400	51,500
종목 명	12/20종가	1주 내 최고가
갤럭시아에스	2,665	2,830
갤럭시아머니	11,220	12,480
큐리언트	5,840	5,770
비유테크	633	670
종목 명	12/21종가	1주내최고가
HMM	19,530	21,250
하이드로리튬	9,370	8,880
하림	4,910	5,300
엔디포스	4,710	4,800
제이엔비	13,770	14,930
한화투자우	9,800	11,100
종목 명	12/26종가	1주내 최고가
CSA코스믹	1,195	1,394
한진칼	69,400	78,600
인카금융서	16,330	17,000
미디어젠	18,000	18,600
소룩스	2,380	5,210

종목 명	12/27종가	1주내최고가
신라섬유	1,616	1,687
대동기어	11,070	12,270
피씨엘	3,550	3,875
종목 명	12/28종가	1주내최고가
피에스케이홀	26,950	27,500
한국패러렐	357	385
에이비온	8,430	8,670
디티앤씨알오	18,130	21,200
종목 명	1/2 종가	1주내최고가
태양금속우	8,180	8,300
대동금속	13,710	13,980
제주반도체	16,700	21,450
대상홀딩스	12,640	13,100
유티아이	38,850	39,700
에이프릴바이	15,790	16,300
골든센츄리	178	221
GRT	3,200	4,060
종목 명	1/3 종가	1주내최고가
남선알미우	42,000	45,950
유니켐	2,260	2,380
파라텍	1,573	1,644
엑서지21	672	678(실)
유티아이	38,650	39,700
디티앤씨	8,530	8,760
타이거일렉	21,350	23,900
비투엔	2,120	2,230
바이젠셀	6,160	6,180(실)
딥노이드 80	22,100	24,750
퀄리타스반도	50,000	53,300
종목 명	1/4 종가	1주내최고가
시노펙스	7,730	9,680
아이톡시	1,041	1,179

종목 명	1/5 종가	1주내최고가
룽투코리아	1900	1,956
베셀	992	870
에코프로머티	201,000	244,000
종목 명	1/8 종가	1주내최고가
덕성우	18,200	1,8590
태영건설우	6,020	7,900
엑시콘	21,650	22,700
피씨엘 90	3,000	3,080
캡스톤파트	7,570	9,200
종목 명	1/9 종가	1주내최고가
이스트소프트	25,750	27,000
신성델타테크	69,000	67,500
오킨스전자	10,720	11,720
베셀	775	799
비유테크놀러	455	760
피씨엘	2,885	2,925
비아이매트릭	14,700	16,540
LS머트리얼	43,100	47,750
하나금융23스	4,045	5,700
1% 적용		93%(100/93)
2% 적용		89%(100/89)
최고가 평균		12.35%

(11) 첫 장대 양일봉 종목 매매 전략

1) '첫 장대 양일봉' 종목 연구 개요와 근거

필자가 8년간 단기매매를 연구하는 동안에 어떤 이유로든 바닥에서 거래량을 동반하고 상승하며 장대 양봉의 모습을 보이는 종목들이 그다음 날, 그다음 주 혹은 그다음 달의 주가가 어떻게 되는지 관심을 두게 되었다. 이런 종목에 투자하면 그다음 날(다음 주, 다음 달) 주가가 얼마나 오르고 몇 %를 목표 수익으로 하면 단기매매가 성공할 수 있을까? 이런 궁금증 때문에 그런 종목들을 면밀하게 관찰하게 되었다.

그런 종목들을 언뜻 관찰해 보아도 주가가 상승할 가망성이 높다는 것을 확인하게 되었는데, 장기간 관찰 후에 필자가 깨닫게 된 것은

"거래량을 터뜨리고 일봉 캔들이 장대 양봉을 시현한 종목은 그다음 날 주가가 또 오를 가망성이 상당히 크다." 라는 사실이었다.

이러한 사실에 기초하여 필자는 어떤 종목이 장대 양일봉을 기록한 다음 날 주가가 어떻게 움직이는지 약 5년간 관찰하였고

200종목을 실험한 결과 밑바닥에서 거래량을 동반하면서 '첫 장대 양일봉' 캔들이 만들어진 날 종가로 매수하고 2% 위에서 예약 매도 주문을 걸어 둔다면 그다음 날 매매가 성공할 확률이 높다는 결론을 얻을 수 있었다. 필자가 관찰한 200종목 중 '첫 장대양일봉'을 기록한 종목을 그날 종가로 매수했을 경우 그다음 날 2% 이상 올라 매매가 성공한 종목은 149종목으로 성공 확률이 74.5%였고 실패한 경우라도 5일을 기다렸을 경우 2% 이상 상승하여 매매에 성공한 종목은 171종목이었다. 즉 5일 이내 2% 이상 상승 확률은 85.5%였다.

①'첫 장대 양일봉' 성공 종목 (DB하이텍 다음날 고가 6.71%)

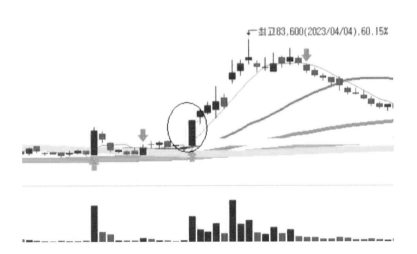

만일 장대양일봉 캔들이 만들어진 날(위의 아래 노란색 원 부분) 종가로 DB하이텍을 매수했다면 그다음 날 전일 종가 대비 고가가 6.71% 더 올랐으므로 바로 차익을 실현할 수 있었을 것이다.

② '첫 장대양일봉' 성공 종목 (린드먼아시아 다음날 고가 16.67%)

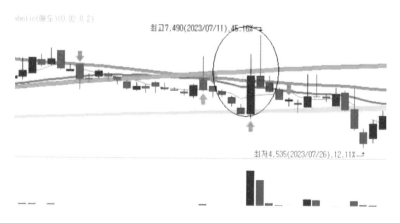

만일 '장대양일봉' 캔들이 만들어진 날(위의 아래 노란색 원 부분) 종가로 린드먼아시아를 매수했다면 그다음 날 전일 종가 대비 고가가 16.67% 더 올랐으므로 바로 차익을 실현할 수 있었을 것이다.

③ '첫 장대 양일봉' 성공 종목 (이엠넷 다음날 고가 26.55%)

만일 장대양일봉 캔들이 만들어진 날(위의 아래 노란색 원 부분) 종가로 이엠넷을 매수했다면 그다음 날 전일 종가 대비 고가가 26.55% 더 올랐으므로 바로 차익을 실현할 수 있었을 것이다.

④ '첫 장대 양일봉' 성공 종목(JW중외제약 다음날 고가 5.58 %)

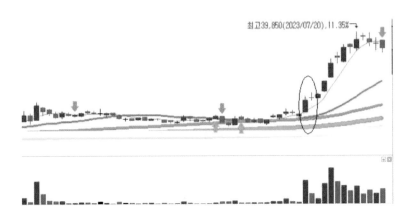

만일 장대양일봉 캔들이 만들어진 날 (위의 아래 노란색 원 부분) 종가로 JW중외제약을 매수했다면 그다음 날 전일 종가 대비 고가가 5.58% 더 올랐으므로 바로 차익을 실현할 수 있었을 것이다.

⑤ '첫 장대 양일봉' 성공 종목(이구산업 다음날 고가 6.19%)

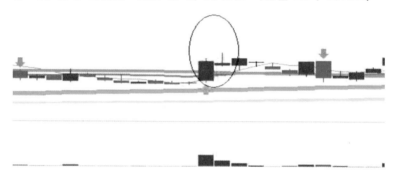

만일 장대양일봉 캔들이 만들어진 날(위의 아래 노란색 원 부분) 종가로 이구산업을 매수했다면 그다음 날 전일 종가 대비 고가가 6.19% 더 올랐으므로 바로 차익을 실현할 수 있었을 것이다.

⑥ '첫 장대 양일봉' 실패 종목 (테라젠이텍스 다음날 고가 0.17%)

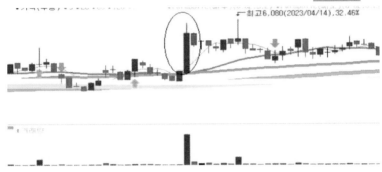

만일 장대양일봉 캔들이 만들어진 날 (위의 아래 노란색 원 부분) 종가로 테라젠이텍스를 매수했다면 그다음 날 전일 종가 대비 고가가 0.17%밖에 안 올랐으므로 장대 양일봉 매매가 실패했을 것이다.

⑦ '첫 장대 양일봉' 실패 종목 (파버나인 다음날 고가 0.42%)

만일 '첫 장대양일봉' 캔들이 만들어진 날 (위의 아래 노란색 원 부분) 종가로 파버나인을 매수했다면 그다음 날 전일 종가 대비 고가가 0.42%밖에 안 올랐으므로 '장대 양일봉' 매매가 실패했을 것이다.

2) 어떻게 매매하는 것인가?

'첫 장대 양일봉 종목'을 매매 하려면 바닥 부근에서 거래량을 터뜨리면서 종가 캔들 몸통이 10% 이상 상승하는 종목을 그날 종가로 매수하고 매수한 금액보나 2% 위에 그다음 날 매도를 걸어두어야 한다. 필자가 실험한 결과 그다음 날 성공할 확률은 약 74.5%였고 실패했더라도 영업일 기준 5일(일주일)을 기다리면 성공 확률은 85.5%로 높아졌다.

3) 종목 선정 요령과 주의 사항

① 매일 '첫 장대 양일봉' 종목을 관심 종목으로 기록한다.

② 바닥에서 거래량을 터뜨리면서 윗 꼬리가 달렸더라도 종가 기준 10% 이상 상승한 종목을 고른다.

③ 그날 거래가 터지면서 10% 이상 상승한 종목 중 장 마감 부근에 기업 내용이 양호한 종목을 종가로 매수한다. 보수적으로 보아도 부채비율은 150% 이하, PBR은 3 이하이면서 주가가 바닥 부근에 있어야 한다. 적자기업도 매수가 가능한데 재무 구조상 큰 영향이 없어야 한다. 고평가된 기업은 매수 대상에서 제외한다.

④ 다음 날에도 이슈가 이어질 수 있는 종목이어야 한다. 상반

된 이슈가 있을 때는 매수하면 안 된다. 예를 들어 초반도체냐? 아니냐? 전쟁이냐? 평화냐? 이렇게 상반된 이슈가 있는 종목을 매수하면 대박 아니면 쪽박이다. 즉 재료로 인해 갑자기 상황이 바뀔 수 있는 종목은 조심해야 한다.

⑤ 일봉상 바닥에서 '첫 장대양일봉'인 종목만 매매한다.

⑥ 재무 구조상 큰 문제가 없고 물릴 각오가 된 종목만 매수한다.

⑦ 종가로 매수한 종목은 종가 대비 2% 상승을 목표로 하여 예약 매도를 걸어둔다.

4) '장대 양일봉' 종목에 물렸을 경우 대처 방법

장대양일봉 종목에 물렸을 때 대처요령을 설명하고자 한다. 예를 들어 장대양일봉 매매 하는 날 종가에 5백만 원을 매수했다가 물리면 최소한 2천만 원의 추가 매수 자금이 있어야 한다. 따라서 큰 금액을 장대 양일봉 매매에 다 사용하다 물리면 대단히 고생하거나 큰 손해를 볼 수 있으므로 총 주식투자 가용 금액의 5분의 1 혹은 10분의 1만 사용하기를 바란다. 첫 장대 양일봉 종목은 매수했다가 물리면 절대 바로 물을 타면 안 되고 주가가 폭락하기를 기다려야 한다. 첫 장대 양일봉의 몸통 캔들의 가운데 절두에 주가가 왔을 때 처음 매수한 금액의 2배, 그리고 더 빠지면 2배 더, 그리고 또 빠지면 나머지 금액을 다 사용해야 한다. (물을 타는 정도는 피보나치 조정 비율로 매수해야 하는데 일일이 그 내용을 적용하기가 힘들면 장대 양일봉 몸통 캔들의 절반보다 약간 아래에 평균단가를 맞춰수어야 한다) 장대 양일봉 몸통 가운데 부분보다 주가가 내려가면 기술적 반등이 일어날 확률이 아주 높다. 이때 반등을 주면 팔고 나와야 한다. 반등이 나지 않으면 시간은 더 걸리겠지만 주가가 바닥권이면 걱정할 것이 없다.

(12) '첫 장대 양일봉' 종목 연구

연번	종목명	수익률(%)	성공/실패	5일이내
1	DB하이텍	6.71	성공	
2	일신바이오	-0.41	실패	실패
3	디아이	1.72	실패	성공
4	황금에스티	1.52	실패	성공
5	야스	29.94	성공	
6	포스코스틸리온	0.72	실패	성공
7	LX레미콘	-0.26	실패	성공
8	BGF에코머터리얼	18.27	성공	
9	마이크로컨텍솔	8.05	성공	
10	모베이스	1.33	실패	성공
11	SGA솔루션스	3.46	성공	
12	SK아이테크놀로지	4.56	성공	
13	현대엘리베이	13.3	성공	
14	테라젠이텍스	0.17	실패	실패
15	파버나인	0.42	실패	실패
16	셀바이오텍	8.66	성공	
17	현대비앤지스틸	7.17	성공	
18	크리스탈신소재	29.94	성공	
19	슈프리마에이치큐	15.41	성공	
20	애경케미칼	29.94	성공	
21	강남제비스코	15.35	성공	
22	디스플레이스텍	7.56	성공	

23	현대위아	4.04	성공	
24	KB오토시스	19.5	성공	
25	HD현대인프라	4.69	성공	
26	엘오티베큠	0.33	실패	성공
27	알루코	0	실패	실패
28	와이엠	2.95	성공	
29	한일화학	29.85	성공	
30	에스엠코어	10.7	성공	
31	진양폴리	14.64	성공	
32	영풍정밀	15.82	성공	
33	우리이엔엘	-0.09	실패	실패
34	샘씨엔에스	2.66	성공	
35	노바텍	2.16	성공	
36	휴비츠	25.88	성공	
37	세아제강	6.96	성공	
38	아이컴포넌트	3.4	성공	
39	제룡산업	-0.11	실패	성공
40	조선내화	1	실패	성공
41	태웅로직스	2.14	성공	
42	S&K폴리텍	10	성공	
43	KG스틸	5.51	성공	
44	휴메딕스	1.24	실패	실패
45	모베이스전자	28.36	성공	
46	한창산업	0.68	실패	성공
47	코데즈컴바인	17	성공	
48	SIMPAC	6.64	성공	
49	인지디스플레이	15.82	성공	

50	양지사	18.52	성공	
51	KBI메탈	−0.85	실패	실패
52	지에스이	17.98	성공	
53	아세아텍	−2.9	실패	실패
54	효성오앤비	6.5	성공	
55	디와이씨	−2.68	실패	실패
56	경동나비엔	4.87	성공	
57	DRB동일	1.84	실패	실패
58	오상자이엘	2.45	성공	
59	옵투스제약	8.89	성공	
60	씨큐브	29.89	성공	
61	삼화전기	29.98	성공	
62	성문전자	29.98	성공	
63	실리콘투	28.66	성공	
64	라이콤	29.86	성공	
65	한국내화	4.58	성공	
66	동일기연	0.55	실패	성공
67	광전자	17.14	성공	
68	토탈소프트	−0.95	실패	실패
69	코스텍시스	6.97	성공	
70	삼양사	−1.88	실패	실패
71	한컴라이프케어	3.68	성공	
72	드림씨아이에스	4.08	성공	
73	네오팜	6.45	성공	
74	성광벤드	6.27	성공	
75	잉크테크	18.09	성공	
76	일승	4.71	성공	

77	화천기계	19.44	성공	
78	네오오토	27.57	성공	
79	SJM	17.98	성공	
80	선진뷰티사이언스	7.98	성공	
81	인터플렉스	14.8	성공	
82	대성미생물	29.96	성공	
83	비츠로테크	-2.09	실패	성공
84	코스메카코리아	25.33	성공	
85	이글벳	1.56	실패	성공
86	잉글우드랩	26.48	성공	
87	중앙백신	21.55	성공	
88	두올	12.77	성공	
89	메타바이오메드	21.55	성공	
90	그래디언트	13.61	성공	
91	지니뮤직	-3.91	실패	실패
92	한양디지텍	8.56	성공	
93	대원미디어	5.67	성공	
94	에스엔유	9.29	성공	
95	아비코전자	7.6	성공	
96	ES큐브	0.51	실패	실패
97	TJ미디어	6.07	성공	
98	티엘비	0.66	실패	성공
99	동진쎄미켐	6.53	성공	
100	센코	9.66	성공	
101	비씨엔씨	12.67	성공	
102	상신브레이크	-5.51	실패	실패
103	HL D&I	1.34	실패	실패

104	유니퀘스트	16.47	성공	
105	에스와이	11.85	성공	
106	피델릭스	29.98	성공	
107	서플러스글로벌	16.59	성공	
108	콤텍시스템	-0.6	실패	성공
109	피씨디렉트	-0.24	실패	실패
110	아진엑스텍	0.68	실패	실패
111	한진칼	12.82	성공	
112	한국전자금융	20.1	성공	
113	나무기술	4.26	성공	
114	모헨즈	21.35	성공	
115	우주엘렉트로	2.05	성공	
116	대유에이피	1.22	실패	실패
117	에이팩트	1.16	실패	성공
118	피제이메탈	8.09	성공	
119	엔피디	20.82	성공	
120	제이씨현시스템	21.84	성공	
121	프로텍	3.85	성공	
122	인산가	8.82	성공	
123	한독크린텍	9.8	성공	
124	동방선기	1.04	실패	성공
125	보라티알	25.9	성공	
126	CJ씨푸드	0.13	실패	성공
127	휴네시온	2.23	성공	
128	소프트센	5.05	성공	
129	에이텍모빌리티	7.74	성공	
130	한국전자홀딩스	-1.1	실패	실패

131	갤럭시아에스엠	8.1	성공	
132	이건산업	0.48	실패	실패
133	이루온	6.32	성공	
134	엔에프씨	0.96	실패	실패
135	대상홀딩스	8.86	성공	
136	동양이앤피	4.78	성공	
137	위드텍	11.42	성공	
138	에스티아이	1.71	실패	성공
139	대봉엘에스	5.99	성공	
140	샘표식품	4.61	성공	
141	티에스이	2.47	성공	
142	태성	14.46	성공	
143	동양에스텍	3.75	성공	
144	알비케이그룹	29.95	성공	
145	디티앤씨	19.71	성공	
146	엔피케이	1.4	실패	실패
147	SG&G	-0.21	실패	성공
148	NE능률	25	성공	
149	상보	28.18	성공	
150	남성	4.35	성공	
151	마크로젠	21.79	성공	
152	휴젤	4.91	성공	
153	와이어블	23.58	성공	
154	유니드비티플러스	8.43	성공	
155	KG모빌리언스	19.34	성공	
156	미래컴퍼니	29.85	성공	
157	에이테크솔루션	7.4	성공	

158	기산텔레콤	0.94	실패	실패
159	제일전기공업	4.32	성공	
160	피앤씨테크	2.91	성공	
161	컴퍼니케이	5.89	성공	
162	인팩	19.53	성공	
163	대원강업	20.17	성공	
164	동국알앤에스	9.33	성공	
165	파인테크닉스	1.73	실패	실패
166	에이치엘사이언스	12.59	성공	
167	웰킵스하이텍	27.6	성공	
168	포커스에이치엔	3.66	성공	
169	바텍	1.52	실패	성공
170	우진플라임	0.5	실패	성공
171	폴라리스우노	0.37	실패	성공
172	핌스	3.65	성공	
173	해성디에스	0.41	실패	실패
174	일진전기	20.81	성공	
175	나래나노텍	12.31	성공	
176	삼익 THK	4.85	성공	
177	유니셈	8.03	성공	
178	테스	6.05	성공	
179	우림피티에스	−0.57	실패	성공
180	SFA반도체	15.01	성공	
181	세경하이테크	4.45	성공	
182	아세아제지	0	실패	실패
183	휴스틸	2.83	성공	
184	진성티이씨	2.02	성공	

185	와이엠씨	-0.52	실패	실패
186	우진	0.09	실패	성공
187	한전산업	4.28	성공	
188	남광토건	0.2	실패	성공
189	JW중외제약	5.58	성공	
190	모비릭스	6.58	성공	
191	린드먼아시아	16.67	성공	
192	플레이디	29.92	성공	
193	이엠넷	26.55	성공	
194	DI동일	3.68	성공	
195	신성델타테크	6.48	성공	
196	밸로프	5.99	성공	
197	이구산업	6.19	성공	
198	경농	3.39	성공	
199	이화공영	4.8	성공	
200	휴니드	-0.15	실패	실패

(13) '첫 장대 양주봉' 종목 매매 전략

1) '첫 장대 양주봉' 종목 연구 개요와 근거

어떤 종목의 주가가 바닥을 기고 있다가 거래량을 크게 터뜨리면서 윗 꼬리가 달리더라도 일주일 동안 주가가 크게 상승하면 해당 종목의 주봉은 장대 양주봉의 모습을 그리게 된다. 이때 시장 상황이 나빠지거나 해당 기업에 악재가 없는 이상 주가가 크게 오른 그 주 금요일에 해당 종목을 종가에 매수한다면 그다음 주에 단기적으로 이익을 내고 나올 가망성이 훨씬 커진다. 주가가 상승 방향으로 추세를 전환하였기 때문에 위로 올라가려는 에너지가 훨씬 강하다는 것이다. 이러한 사실에 착안하여 해당 종목을 목요일과 금요일 사이에 분할 매수하거나 금요일 종가로 매수한 후 그다음 주에 4% 이익이 나면 팔고 나오는 전략을 '첫 장대 양주봉 매매법'이라 한다. 확률은 낮지만 주가가 밑으로 가는 경우는 그동안 주가가 상승했던 이슈가 소멸하였거나 혹은 약세장의 경우에는 시장 영향 때문이거나 아니라면 그 기업의 돌발 악재 때문이다. 장기간 이런 종목들은 관찰하여 필자가 내린 결론은

"어떤 종목이든 바닥에서 일주일 동안 거래량을 동반하며 크게 상승한 종목은 그다음 주에도 상승할 가망성이 상당히 높다."이다.

① '첫 장대 양주봉' 성공 종목 (유니셈 다음 주 고가 16.17%)

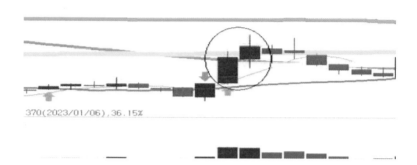

370(2023/01/06),36.15%

장대양주봉 캔들이 만들어진 금요일 날 (위의 노란색 원 아래 캔들 부분) 종가로 유니셈을 매수했다면 그다음 주에 전주 금요일 종가 대비 고가가 16.71% 더 올랐으므로(4%에서 차익실현 한다면) 장대 양주봉 매매가 성공했을 것이다.

② '첫 장대 양주봉' 성공 종목 (DI동일 다음 주 고가 6.13%)

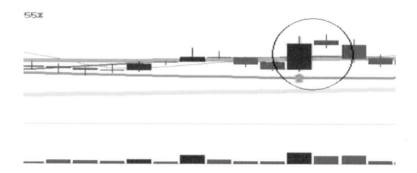

55%

장대 양주봉 캔들이 만들어진 금요일 날 (위의 노란색 원 아래 캔들 부분) 종가로 DI 동일을 매수했다면 그다음 주에는 전주 금요일 종가 대비 고가가 6.13% 더 올랐으므로(4%에서 차익실현 한다면) 바로 이익을 낼 수 있었을 것이다.

③'첫 장대 양주봉' 성공 종목(플레이디 다음 주 고가 29.92%)

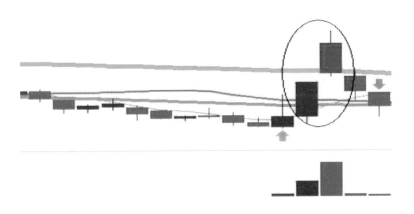

장대 양주봉 캔들이 만들어진 금요일 날 (위의 노란색 원 아래 빨간색 캔들 부분) 종가로 플레이디를 매수했다면 그다음 주에 전주 금요일 종가 대비 고가가 29.92% 더 올랐으므로 (4%에서 차익실현 한다면) 바로 이익을 낼 수 있었을 것이다.

① '첫 장대 양주봉' 성공 종목 (바텍 다음 주 고가 15.09%)

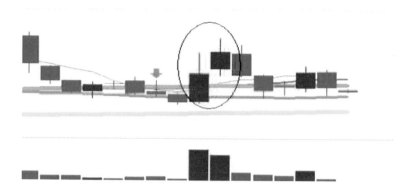

장대 양주봉 캔들이 만들어진 금요일 날 (위의 노란색 원 아래 빨간색 캔들 부분) 종가로 바텍을 매수했다면 그다음 주에 전주 금요일 종가 대비 고가가 15.09% 더 올랐으므로(4%에서 차익 실현 한다면) 바로 이익을 낼 수 있었을 것이다.

⑤ '첫 장대 양주봉' 성공 종목 (컴퍼니케이 다음 주 고가 25.81%)

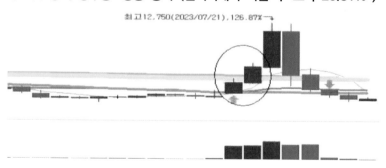

장대 양주봉 캔들이 만들어진 금요일 날 (위의 노란색 원 아래

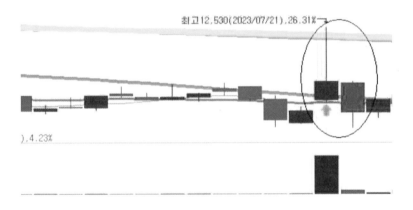

빨간색 캔들 부분) 종가로 컴퍼니케이를 매수했다면 그다음 주에 전주 금요일 종가 대비 고가가 25.81% 더 올랐으므로(4%에서 차익실현 한다면) 바로 이익을 낼 수 있었을 것이다.

⑥ '첫 장대 양주봉' 실패 종목 (경농 다음 주 고가 0%)

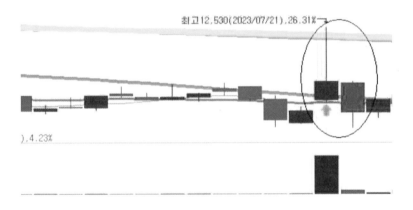

장대 양주봉 캔들이 만들어진 금요일 날 (위의 노란색 원 빨간색 캔들 부분) 종가로 경농을 매수했다면 그다음 주에 전주 금요일 종가 대비 고가가 0% 올랐으므로(4%에서 차익실현 한다면) 그다음 주에는 이익을 낼 수 없고 매매는 실패했을 것이다.

⑦ '첫 장대 양주봉' 실패 종목 (한국전자금융 다음 주 고가 0.15%)

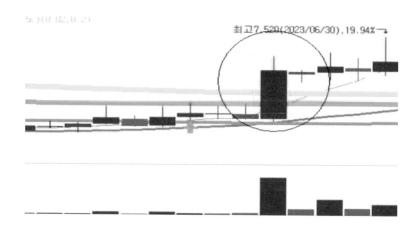

장대 양주봉 캔들이 만들어진 금요일 날 (위의 노란색 원 아래 빨간색 캔들 부분) 종가로 한국전자금융을 매수했다면 그다음 주에 전주 금요일 종가 대비 고가가 0.15%밖에 안 올랐으므로 (4%에서 차익실현 한다면) 그다음 주에는 이익을 낼 수 없었을 것이다.

2) 어떻게 매매하는 것인가?

위에서 언급한 매매법에 기초하여 바닥에서 한 주 동안 주가가 크게 상승한 종목을 금요일 종가로 매수하여 매수 금액 대비 4% 위에 예약 매도를 걸어둔다. 이런 종목들이 그다음 주에 어떻게 움직이는지 약 4년간 실제 300종목을 관찰하고 연구해 보앉다. 그 결과 주가가 상승한 그 주 금요일 종가로 매수했을 때 그다음 주에 4% 이상 상승한 종목은 216종목이었으므로 성공 확률이 72%였다.

3) 종목 선정 요령과 주의 사항

① 금요일에 '첫 장대 양주봉' 종목을 관심 종목으로 등록한다.

② 바닥에서 거래량을 터뜨리면서 윗 꼬리가 길게 달렸더라도 종가 기준 15% 이상 오른 종목을 고른다. (필자는 몸통이 15% 이상 오른 양봉이 아니더라도 변동성이 아주 크고 거래가 많이 터진 종목의 경우에는 해당 종목의 '끼'를 보고 매매하기도 한다. '끼'라는 말이 너무 애매할 수 있지만 주식 시장에 27년 존재하다 보니 장사를 하루 이틀 하는 것이 아니라서 상승할 것 같은 육감, 즉 작전세력의 입성, 해당 종목의 끼를 종종 발견하기도 한다.)

③ 반드시 바닥에서 '첫 장대 양주봉"이 나온 경우에만 이 매매법을 활용한다. 여러 번 주봉이 오른 것은 확률이 떨어진다.

④ 위 꼬리는 되도록 짧고 몸통이 큰 것이 좋다. 위 꼬리가 길게 달리고 몸통이 아주 작은 경우에는 올라갈 확률이 떨어진다.

⑤ 첫 장대 양주봉이 만들어지는 것을 지켜본 후 금요일 종가에 매수하고 그다음 주 해당 종목의 상승을 기대한다. 주초에 매수하지 말고 금요일에 주봉 상태를 보고 매수한다.

절반 이상 양봉 몸통이 살아 있는 것이 제일 무난하다.
너무 깔끔하게 몸통만 살아있는 것은 가격 부담이 크다.

⑥ 반드시 시장 상황을 보고 분할매수 여부를 판단해야 한다.
시장이 안 좋으면 좀 여유 있게 천천히 분할 매수하는 것이 좋고 마이너스 폭이 10% 정도는 돼야 분할매수가 효율적이다.

⑦ 기업 내용이 좋지 않고 고평가된 종목, 재무 구조에 큰 이상이 있는 기업은 매수하지 않는다.

4) '첫 장대 양주봉' 종목에 물렸을 경우 대처 방법
주봉 몸통 부분의 절반에 주가가 올 때까지 즉 황금비율(정확한 황금비율은 전체 상승분의 61.8%까지 떨어질 때)이 올 때까지 기다려야 한다. 즉, 위 꼬리를 제외한 몸통 캔들의 가운데 정도에 주가가 왔을 때 처음 매수한 금액의 2~3배, 그리고 더 빠지면(전체 몸통의 75%) 처음 매수한 금액의 2~3배 더, 그리고 또 빠지면(상승한 주봉 몸통의 최하단부) 나머지 금액을 모두 사용해야 한다.

다음에 등장하는 기업들이 필자가 첫 장대 양주봉 종목으로 연구한 기업들이다. 여기서는 200종목만 나오지만, 필자는 훨씬 더 많은 기업을 관찰하였다. 더 많은 기업을 관찰한 최종 성공 확률은 Chapter 5에 기록되어 있으니 참고해 보자.

(14) '첫 장대 양주봉' 종목 연구

연번	종목명	수익률(%)	성공/실패	4주 이내
1	경농	0	실패	실패
2	이구산업	5.93	성공	
3	유니셈	16.17	성공	
4	DI동일	6.13	성공	
5	밸로프	5.99	성공	
6	디에이피	3.56	실패	실패
7	아세아제지	1.39	실패	실패
8	와이엠씨	1.33	실패	실패
9	우진	2.86	실패	실패
10	한전산업	0.83	실패	실패
11	린드먼아시아	11.55	성공	
12	이엠넷	26.55	성공	
13	플레이디	29.92	성공	
14	우진플라임	5.44	성공	
15	바텍	15.09	성공	
16	에이치엘사이언스	2.48	실패	실패
17	포커스에이치엔	3.32	실패	실패
18	웰킵스하이텍	2.22	실패	실패
19	제이티	7.79	성공	
20	동국알앤에스	11.15	성공	
21	인팩	1.7	실패	실패

22	컴퍼니케이	25.81	성공	
23	피앤씨테크	5.13	성공	
24	한국전자금융	0.15	실패	성공
25	덕신하우징	-0.17	실패	실패
26	제일전기공업	20.3	성공	
27	기산텔레콤	4.76	성공	
28	미래컴퍼니	8.42	성공	
29	KG모빌리언스	3.58	실패	실패
30	와이어블	2.86	실패	실패
31	마크로젠	1.41	실패	실패
32	남성	4.35	성공	
33	NE능률	23.71	성공	
34	SG&G	1.42	실패	실패
35	엔피케이	1.44	실패	실패
36	디티앤씨	11.53	성공	
37	동국홀딩스	64.95	성공	
38	알비케이그룹	56.1	성공	
39	동양에스텍	12.75	성공	
40	티에스이	16.79	성공	
41	대봉엘에스	1.15	실패	실패
42	에스티아이	7.56	성공	
43	위드텍	12.18	성공	
44	동양이엔피	5.3	성공	
45	라이온켐텍	45.4	성공	
46	한국전자홀딩스	-1.1	실패	실패
47	에이텍모빌리티	17.34	성공	
48	소프트센	15.15	성공	

49	휴네시온	4.84	성공	
50	보라티알	76.77	성공	
51	동방선기	3.36	실패	실패
52	한독크린텍	8.29	성공	
53	인산가	69.04	성공	
54	프로텍	38.26	성공	
55	바이옵트로	48.79	성공	
56	제이씨현시스템	1.34	실패	성공
57	엔피디	1.65	실패	실패
58	피제이메탈	10.62	성공	
59	대유에이피	5.62	성공	
60	우주일렉트로	8.25	성공	
61	모헨즈	5.04	성공	
62	나무기술	6.55	성공	
63	서플러스글로벌	18.64	성공	
64	피델릭스	42.86	성공	
65	에스와이	-1.26	실패	성공
66	HL D&I	3.41	실패	실패
67	상신브레이크	2.62	실패	성공
68	비씨엔씨	3.29	실패	성공
69	원바이오젠	-0.69	실패	성공
70	아진산업	38.26	성공	
71	동진쎄미켐	11.22	성공	
72	티엘비	3.71	실패	성공
73	ES큐브	15.57	성공	
74	한양디지텍	7.17	성공	
75	그래디언트	9.98	성공	

76	메타바이오매드	12.64	성공	
77	두올	12.55	성공	
78	중앙백신	4.23	성공	
79	코리아에프티	17.99	성공	
80	잉글우드랩	28.49	성공	
81	경창산업	9.69	성공	
82	SJM홀딩스	19.81	성공	
83	이글벳	9.62	성공	
84	코스메카코리아	27.4	성공	
85	비츠로테크	11.44	성공	
86	대성미생물	17.03	성공	
87	선진뷰티사이언스	10.13	성공	
88	네오오토	24.89	성공	
89	화천기계	16.64	성공	
90	잉크테크	2.23	실패	실패
91	성광벤드	14.78	성공	
92	네오팜	2.53	실패	성공
93	드림씨아이에스	5.06	성공	
94	삼양사	2.44	실패	성공
95	코스텍시스	19.85	성공	
96	한국무브넥스	26.58	성공	
97	광전자	18.27	성공	
98	동일기연	32.02	성공	
99	한국내화	48.14	성공	
100	라이콤	20.73	성공	
101	성문전자	8.8	성공	
102	삼화전기	-5.29	실패	성공

103	씨큐브	-0.47	실패	성공
104	옵투스제약	-2.04	실패	실패
105	오상자이엘	4.2	성공	
106	DRB동일	2.61	실패	성공
107	경동나비엔	12	성공	
108	효성오앤비	6.5	성공	
109	아세아텍	-2.9	실패	실패
110	코데즈컴바인	2.63	실패	성공
111	KBI메탈	-2.34	실패	성공
112	양지사	2.65	실패	성공
113	인지디스플레	7.77	성공	
114	SIPMAC	28.91	성공	
115	모베이스전자	17.27	성공	
116	휴메딕스	5.95	성공	
117	KG스틸	2.04	실패	실패
118	S&K폴리텍	5.88	성공	
119	조선내화	36.72	성공	
120	제룡산업	0	실패	성공
121	아이컴포넌트	-0.73	실패	실패
122	세아제강	-0.81	실패	성공
123	노바텍	43.18	성공	
124	샘씨엔에스	25.05	성공	
125	우리이엔엘	4.58	성공	
126	영풍정밀	7.87	성공	
127	진양폴리	14.64	성공	
128	에스엠코어	17.5	성공	
129	한일화학	12.07	성공	

130	엘오티베큠	0	실패	성공
131	KB오토시스	7.48	성공	
132	현대위아	1.1	실패	실패
133	애경케미칼	34.3	성공	
134	슈프리마에이치큐	34.82	성공	
135	크리스탈신소재	36.08	성공	
136	현대비앤지스틸	35.83	성공	
137	쎌바이오텍	2.47	실패	실패
138	파버나인	2.38	실패	실패
139	SK아이테크놀로지	1.84	실패	실패
140	SGA솔루션스	8.56	성공	
141	티에프이	13.4	성공	
142	모베이스	11.22	성공	
143	마이크로컨텍솔	-0.5	실패	실패
144	BGF에코머티리얼즈	10.16	성공	
145	포스코스틸리온	5.1	성공	
146	야스	17.12	성공	
147	세중	2	실패	실패
148	황금에스티	14.51	성공	
149	디아이	7.06	성공	
150	DB하이텍	35.51	성공	
151	주성엔지니어링	12.73	성공	
152	대성하이텍	11.48	성공	
153	인탑스	5.72	성공	
154	테스	12.86	성공	
155	피에스케이	8.98	성공	

156	신성델타테크	9.23	성공	
157	심익 THK	19.19	성공	
158	SFA반도체	6.05	성공	
159	일진전기	9.5	성공	
160	나래나노텍	6.29	성공	
161	KG케미칼	17.88	성공	
162	유니테크노	0.58	실패	성공
163	경동인베스트	103.89	성공	
164	태성	8.82	성공	
165	폴라리스우노	17.19	성공	
166	더블유에스아이	10.09	성공	
167	해성디에스	5.49	성공	
168	나라엠앤디	2.2	실패	성공
169	한농화성	22.15	성공	
170	핌스	25.94	성공	
171	에스텍파마	2.32	실패	실패
172	싸이버원	5.42	성공	
173	와이아이케이	1.82	실패	성공
174	디스플레이텍	5.58	성공	
175	현대에이치티	1.38	실패	실패
176	티쓰리	-0.42	실패	실패
177	케이피에프	3.12	실패	성공
178	삼진	4.77	성공	
179	유니온머티리얼	27.3	성공	
180	BYC	4.76	성공	
181	유니온	37.6	성공	
182	에이팩트	7.42	성공	

183	제주반도체	10.4	성공	
184	대화제약	24.88	성공	
185	엠케이전자	5.95	성공	
186	코리아써키트	8.68	성공	
187	인카금융시비스	4.67	성공	
188	코리아에셋투자증권	3.29	실패	실패
189	오픈베이스	1.49	실패	실패
190	플레티어	5.64	성공	
191	제일테크노스	3.01	실패	성공
192	LB루셈	3.55	실패	실패
193	신화콘텍	5.36	성공	
194	NHN벅스	18.43	성공	
195	신세계건설	9.36	성공	
196	AP위성	31.12	성공	
197	포바이포	15.26	성공	
198	코아시아	11.39	성공	
199	대성에너지	1.31	실패	실패
200	써니전자	24.92	성공	

(15) '첫 장대 양월봉' 종목 매매 전략

1) '첫 장대 양월봉' 연구 개요와 근거

어떤 종목의 주가가 바닥을 기고 있다가 거래량을 크게 터뜨리면서 윗 꼬리가 달리더라도 한 달간 주가가 크게 상승하면 해당 종목의 월봉 캔들은 큰 장대 양월봉의 모습을 그리게 된다. 이때 시장 상황이 나빠지거나 해당 기업에 악재가 없는 이상 주가가 크게 오른 그달의 말일 종가로 해당 종목을 매수한다면 그다음 달에 이익을 내고 나올 가망성이 훨씬 커진다. 이러한 사실에 착안하여 해당 종목을 매월 마지막 주에 분할 매수하거나 말일 종가로 매수한 후 그다음 달에 6% 이익이 나면 팔고 나오는 전략을 '첫 장대 양월봉 매매법'이라 한다.

"어떤 종목이든 바닥에서 한 달 동안 거래량을 동반하며 크게 상승한 종목은 그다음 달에도 상승할 가망성이 상당히 높다."

이러한 관찰 결과에 기초하여 필자는 바닥에서 큰 거래량을 동반하며 몸통이 큰 양월봉을 나타낸 후 다음 달에 주가가 어떻게 움직이는지 약 5년간 주의 깊게 관찰하였고 그 결과 첫 장대 양월봉 매매가 상당히 성공 확률이 높다는 결과를 얻을 수 있었나.

① '첫 장대 양월봉' 성공 종목 (케이엔솔 다음 달 고가 21.04%)

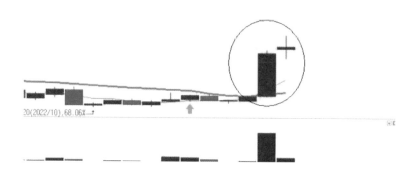

장대 양월봉 캔들이 만들어진 월말에 (위의 노란색 원 아래 캔들 부분) 종가로 케이엔솔을 매수했다면 그다음 달에 전달 말일 종가 대비 고가가 21.0% 더 올랐으므로(6%에서 차익실현 한다면) 바로 그다음 달 어느 순간에 이익을 낼 수 있었을 것이다.

② '첫 장대 양월봉' 성공 종목 (디에이피 다음 달 고가 21.99%)

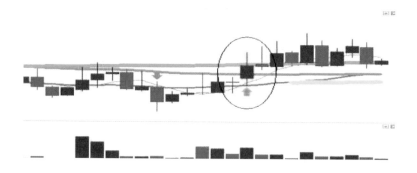

장대 양월봉 캔들이 만들어진 월말에 (위의 노란색 원 아래 캔들 부분) 종가로 디에이피를 매수했다면 그다음 달에 전달 말일 종가 대비 고가가 21.99% 더 올랐으므로(6%에서 차익실현 한다면) 바로 그다음 달 어느 순간에 이익을 낼 수 있었을 것이다.

③ '첫 장대 양월봉' 성공 종목 (와이엠씨 다음달 고가 23.59%)

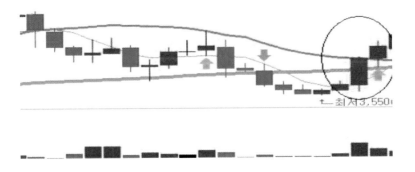

장대 양월봉 캔들이 만들어진 월말에 (위의 노란색 원 가운데 캔들 부분) 종가로 와이엠씨를 매수했다면 그다음 달에 전달 말일 종가 대비 고가가 23.59% 더 올랐으므로 (6%에서 차익실현 한다면) 바로 그다음 달 어느 순간에 이익을 내고 매도할 수 있었을 것이다.

④ '첫 장대 양월봉' 성공 종목 (우진 다음 달 고가 43.36%)

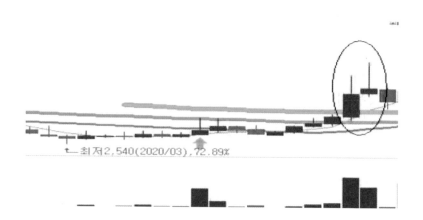

장대 양월봉 캔들이 만들어진 월말에 (위의 노란색 원 아래 캔들 부분) 종가로 우진을 매수했다면 그다음 달에 전달 말일 종가 대비 고가가 43.36% 더 올랐으므로 (6%에서 차익실현 한다면) 바로 그다음 달 어느 순간에 이익을 낼 수 있었을 것이다.

⑤ '첫 장대 양월봉' 성공 종목 (피앤씨테크 다음 달 고가 69.71%)

장대 양월봉 캔들이 만들어진 월말에 (위의 노란색 원 아래 빨간색 캔들 부분) 종가로 피엔씨테크를 매수했다면 그다음 달에 전달 말일 종가 대비 고가가 69.7% 더 올랐으므로 (6%에서 차익실현 한다면) 바로 그다음 달 어느 순간에 이익을 내고 매도할 수 있었을 것이다.

⑥ '첫 장대 양월봉' 실패 종목 (모비데이즈 다음 달 고가 2.64%)

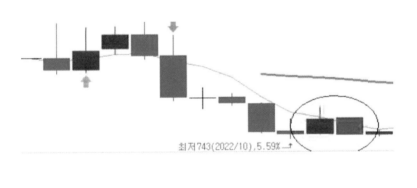

장대 양월봉 캔들이 만들어진 월말에(위의 노란색 원 빨간색 캔들 부분) 종가로 '모비데이즈'를 매수했다면 그다음 달에 전달 말일 종가 대비 고가가 2.64%밖에 안 올랐으므로 (6%에서 차익실현 한다면) 그다음 달 에는 이익을 낼 수 없었을 것이다.

⑦ '첫 장대 양월봉' 실패 종목(마크로젠 다음 달 고가 1.41%)

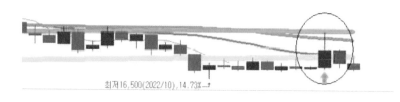

최저16,500(2022/10),14.73%↑

장대 양월봉 캔들이 만들어진 월말에 (위의 노란색 원 긴 빨간색 캔들 부분) 종가로 마크로젠을 매수했다면 그다음 달에 전달 말일 종가 대비 고가가 1.41%밖에 안 올랐으므로 (6%에서 차익실현 한다면) 그다음 달 에는 이익을 낼 수 없었을 것이다.

2) 어떻게 매매하는 것인가?

위에서 언급한 매매법에 기초하여 바닥에서 한 달 동안 주가가 20% 이상 상승한 종목을 월말 즈음에 분할 매수하거나 월말 종가로 매수하여 매수한 금액 대비 6% 위에 예약 매도를 걸어 둔다. 이런 종목들이 그다음 달에 어떻게 움직이는지 약 5년간 실제 233종목을 관찰하고 결과를 보니 다음과 같았다. 주가가 상승한 그달 말에 종가로 매수했을 때 그다음 달에 전 달 종가 대비 6% 이상 상승한 종목은 233종목 중 188종목이었으므로 성공 확률이 80.7%였다.

3) 종목 선정 요령과 주의 사항

① 매달 말 즈음에 '첫 장대 양월봉' 종목을 관심 종목으로 등록한다. (필자는 검색식을 만들어 사용하고 있다.)

② 바닥에서 거래량을 크게 터뜨리고 위 꼬리가 달렸더라도 월봉 몸통이 20% 이상 오른 종목을 고른다. (필자는 주봉과 마찬가지로 월봉 몸통이 15% 이상 오른 양봉이 아니더라도 변동성이 아주 크고 거래가 많이 터진 종목의 경우 역시 '끼'를 보고 매매하기도 한다.)

③ 반드시 바닥에서 '첫 장대 양월봉"이 나온 경우에만 이 매매법을 활용한다. 거래량이 되도록 많이 터져야 더 신뢰감을 줄 수 있다. 이미 여러 달 오른 것은 성공 확률이 낮다.

④ 위 꼬리는 짧고 되도록 몸통이 큰 것이 좋다. 위 꼬리가 길게 달리고 몸통이 아주 작은 경우는 장대 양일봉 양주봉과 마찬가지로 상승할 확률이 떨어진다.

⑤ '첫 장대 양월봉' 캔들이 만들어지는 것을 지켜본 후 월말 즈음에 검색을 통해 해당 종목을 신중하게 선택하여 매수하고 그 다음 달의 상승을 기대한다. 필자는 검색식을 만들어 사용하고 있는데 검색할 수 없다면 매일 크게 오르는 종목을 관찰하여 바로 첫 장대양월봉 관심 종목에 입력하거나 월말쯤에 크게 오른

종목을 고르는 수밖에 없다.

⑥ 반드시 시장 상황을 보고 분할매수 여부를 판단해야 한다.
시장이 안 좋으면 주봉과 마찬가지로 좀 여유 있게 천천히 분할
매수하는 것이 좋고 마이너스 폭이 장대 양월봉의 경우에는
15%~20% 정도는 돼야 분할매수가 효율적이며 단가가 낮아진
다.

⑦ 역시 고평가 기업이나 재무 구조에 이상이 있는 기업은 절대
매수하지 않는다.

⑧ 월초에 매수하지 말고 월말에 월봉 상태를 보고 매수한다.
 절반 이상 양봉 몸통이 살아 있는 것이 제일 무난하다. 너무
깔끔하게 몸통만 살아있는 것은 가격 부담이 크다.

4)'장대 양월봉' 종목에 물렸을 경우 대처 방법
장대 양월봉 매매가 성공 확률이 가장 높지만 필자의 연구 결과
에 따르면 확률적으로 7% 정도는 실패하기 때문에 '첫 장대 양
월봉' 매매를 하다가 물릴 수도 있다. 다른 매매법도 그렇지만
실패 확률을 더 줄이기 위해서는 우선 기업 분석을 철저히 해야
한다. 반드시 기업 내용이 좋고, 저평가되어 있으며 바닥에서 처
음 월봉이 올라온 종목이어야 한다. 이 세 가지 조건에 해당 되
지 않은 종목을 매수해서는 안 된다. 양일봉, 양주봉, 양월봉 매
매 전략 모두같이 매매가 실패하면 상승했던 장대 양봉 캔들 몸

통의 50%~60% 정도 빠질 때까지 기다려서 처음 매수한 금액의 2~3배, 그리고 더 빠지면(전체 몸통의 75%) 처음 매수한 금액의 2~3배 더, 그리고 또 빠지면(상승한 주봉 몸통의 최하단부) 나머지 금액을 모두 사용하여 단가를 크게 낮추어야 한다. "그래도 물려있으면 어떻게 해야 하느냐?"하는 의문이 생길 텐데 저평가 기업이면서 첫 장대 양월봉 종목을 매수했다면 인내의 문제이지 손해 볼 일은 거의 없다. 필자도 경험상 얼마간은 손해를 보고 있었지만, 시간이 지나면서 모든 종목을 이익 실현하는 축복이 있었다.

다음에 등장하는 기업들이 필자가 첫 장대 양월봉 종목으로 연구한 기업들이다. 여기서는 100종목만 나오지만, 필자는 훨씬 더 많은 기업을 관찰하였다. 더 많은 기업을 관찰하여 얻은 최종 성공 확률은 Chapter 5에 기록되어 있다.

(16) '첫 장대 양월봉' 종목 연구

연번	종목명	수익률(%)	성공/실패
1	케이엔솔	21.04	성공
2	대원강업	10.53	성공
3	아세아제지	37.56	성공
4	유니셈	7.88	성공
5	디에이피	21.99	성공
6	와이엠씨	23.59	성공
7	우진	43.36	성공
8	컴퍼니케이	31.6	성공
9	이엠넷	20.63	성공
10	우진플라임	12.37	성공
11	플레이디	10.63	성공
12	에이치엘사이언스	47.1	성공
13	모비데이즈	2.64	실패
14	피앤씨테크	69.71	성공
15	한국전자금융	5.13	실패
16	덕신하우징	29.21	성공
17	제일전기공업	54.17	성공
18	와이어블	20.3	성공
19	마크로젠	1.41	실패
20	상보	7.59	성공
21	위드텍	7.59	성공
22	NE능률	8.51	성공
23	서진시스템	8.21	성공

24	디티엔씨	7.46	성공
25	대봉엘에스	7.46	성공
26	에스티아이	3.06	**실패**
27	라이온컴텍	68.98	성공
28	에이텍모빌리티	23.87	성공
29	소프트센	20.08	성공
30	한독크린텍	11	성공
31	인산가	2.89	성공
32	바이옵트로	9.44	성공
33	제이씨현시스템	41.06	성공
34	성호전자	14.19	성공
35	모헨즈	21.65	성공
36	나무기술	8.8	성공
37	화천기계	19.85	성공
38	광전자	40.2	성공
39	에스와이	31.1	성공
40	피델릭스	52	성공
41	상신브레이크	24.38	성공
42	비씨엔씨	12.27	성공
43	코리아에프티	17.54	성공
44	원바이오젠	11.14	성공
45	에스코넥	26.68	성공
46	삼화전기	25.85	성공
47	네오오토	10.71	성공
48	메타바이오메드	13.33	성공
49	중앙백신	35.47	성공
50	일승	7.68	성공

51	잉글우드랩	23.51	성공
52	SJM홀딩스	20.05	성공
53	대성미생물	19.22	성공
54	코스메카코리아	6.16	성공
55	씨큐브	57.96	성공
56	미래생명자원	3.53	실패
57	KBI메탈	34.52	성공
58	모베이스전자	34.48	성공
59	S&K폴리텍	33.6	성공
60	제룡산업	13.45	성공
61	휴비츠	24.2	성공
62	우리이앤엘	44.29	성공
63	한일화학	22.57	성공
64	KB오토시스	46.37	성공
65	애경케미칼	11.02	성공
66	크리스탈신소재	49.17	성공
67	현대엘리베이	214.5	성공
68	야스	18.77	성공
69	황금에스티	25.2	성공
70	상신전자	23.02	성공
71	주성엔지니어링	19.35	성공
72	KG케미칼	24.84	성공
73	유니테크노	64.02	성공
74	나라엠앤디	22.3	성공
75	폴라리스우노	17.61	성공
76	플래티어	53.69	성공
77	유니온머티리얼	4.28	실패

78	코리아써키트	85.43	성공
79	앤피	15.63	성공
80	HLB이노베이션	59.52	성공
81	LX인터내셔널	9.47	성공
82	진바이오텍	34.4	성공
83	더블유씨피	27.92	성공
84	LS전선아시아	19.86	성공
85	가온전선	41.86	성공
86	와이팜	11.87	성공
87	포스코인터내셔널	22.78	성공
88	피에스케이홀딩스	18.28	성공
89	네오셈	68.47	성공
90	로보스타	99.12	성공
91	대원	17.19	성공
92	이지홀딩스	19.42	성공
93	카카오	9.68	성공
94	씨젠	287.39	성공
95	나우IB	29.81	성공
96	풍강	43.71	성공
97	아바코	1.58	실패
98	대한뉴팜	247.75	성공
99	고려산업	111.47	성공
100	드림텍	83.45	성공

(17) '황금비율' 종목 매매 전략

1) '황금비율' 종목의 연구 개요와 근거

어떤 종목이 상한가에 도달하거나 20% 이상 크게 상승하면 장대 양봉 캔들이 만들어진다, 그 후 주가가 조정을 받으면서 상한가 꼭대기 가격에서 약 절반 정도 깨고 내려왔을 때(정확한 황금비율은 0.618 즉 61.8%) 분할매수 한 후 나의 평균 매수 단가를 상한가 꼭대기의 절반 정도에 맞춰 단가 이상으로 반등하면 매도하는 전략을 '황금비율 매매'라 한다.

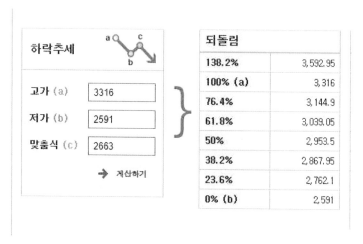

[Source from: Investing. com]

피보나치 되돌림 원리-Fibonacci Retracement]

   필자가 황금비율 매매의 힌트를 얻게 된 것은 엘리어트 파동이론의 엘리어트와 수학자 피보나치 때문이었다. 13세기 수학자 피보나치에 따르면 자연이 무질서한 것 같지만 나름대로 질서를 갖추고 있다고 한다. 심지어 인간의 몸도 어떤 비율로 구성되어 있는데 이러한 황금비율 원리를 주식의 기술적 분석에 응용한 것을 '피보나치 되돌림 원리'라고 한다. 0.236, 0.382, 0.5, 0.618, 0.786, 1,00…. 1.618 등의 숫자가 피보나치 되돌림 수치인데 예를 들어 주가가 바닥부터 100% 상승했다면 23.6% 혹은 38.2%, 50%, 61.8% 등의 조정을 받고 다시 올라갈 수 있다는 원리이다. 주가는 무질서하게 오르고 내리는 것처럼 보이지만 나름대로 어떤 비율에 따라 오르고 내리는 질서를 갖추고 있다는 것이다. "과연 이런 이론이 투자에 도움이 될까"? 의심이 들기는 하지만, 필자의 연구 경험과 검증으로는 상당히 신뢰할 만한 이론이라고 생각하게 되었다. 필자는 황금비율 매매법에 근거하여 내가 매수한 평균단가보다 2% 이상 오르면 매도하고 있는데 상당히 성공 확률이 높았다.

"어떤 종목이든 상한가 갔던 종목이 황금비율 (주가가 상승한 최고가에서 약 50~60% 빠진 경우) 정도 하락하면 기술적 반등이 나올 가망성이 아주 높다."

이러한 사실에 기초하여 필자는 상한가 간 종목들을 기록하고 주가가 반 이상 조정을 받은 다음 어떻게 움직이는지 약 5년간 주의 깊게 관찰하였고 그 결과 황금비율 매매가 상당히 성공 확률이 높다는 결과를 얻을 수 있었다.

① '황금비율' 성공 종목 (진성티이씨 일봉)

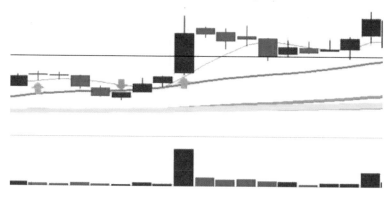

위 그림에서 주가가 크게 올랐다가 절반 정도 조정을 받고 그 위로 반등하고 있다. (가운데 검은 선 위로 주가가 오름)

② '황금비율' 성공 종목 (아세아제지 주봉)

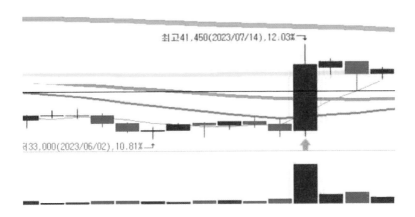

최고41,450(2023/07/14),12.03%→

33,000(2023/06/02),10.81%→

위 그림에서 주가가 크게 올랐다가 절반 정도 조정을 받고 그 위로 반등하고 있다. (가운데 검은 선 위로 주가가 오름)

③ '황금비율' 성공 종목 (라이콤 주봉)

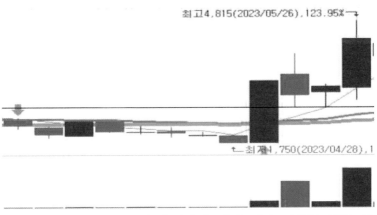

최고4,815(2023/05/26),123.95%→

←최저 ,750(2023/04/28),1

위 그림에시 주기기 그게 올랐다가 절반 전도 조정을 받고 그

위로 반등하고 있다. (가운데 검은 선 위로 주가가 오름)

④ '황금비율' 성공 종목 (광전자 일봉)

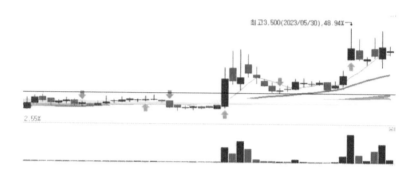

위 그림에서 주가가 크게 올랐다가 절반 정도 조정을 받고 그 위로 반등하고 있다.

⑤ '황금비율' 성공 종목 (티에스이 일봉)

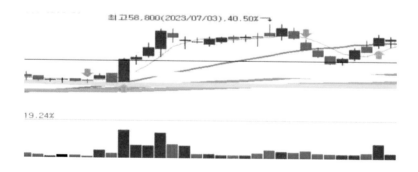

위 그림에서 주가가 크게 올랐다가 절반 정도 조정을 받고 그 위로 반등하고 있다. (가운데 검은 선 위로 주가가 상승)

⑥ '황금비율' 실패 종목 (한전산업 일봉)

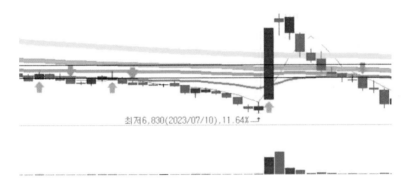

최저6,830(2023/07/10),11.64%↗

위 그림에서 주가가 크게 올랐다가 반등 없이 지속 하락하고 있다. 여기서는 매매가 실패했지만 추후 크게 반등한 종목이다.

⑦ '황금비율' 실패 종목 (제주은행 월봉)

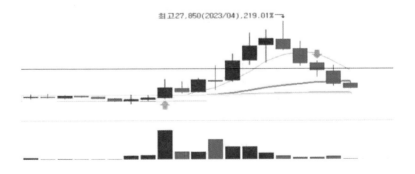

최고27,850(2023/04),219.01%↗

위 그림에서 주가가 크게 올랐다가 황금비율이 와도 반등 없이 계속 하락하고 있다.

2) 어떻게 매매하는 깃인가?

상한가를 기록하거나 20% 이상 상승하여 장대 양봉 캔들이 만들어진 종목들이 상한가 몸통의 절반 아래로 깨고 내려갈 즈음에 예약 매수를 통해 물량을 확보해야 한다. 예약 매수는 장대 양봉 몸통의 절반을 기준으로 하여 위와 아래 2% 사이에 예약 매수를 걸어 두면 된다. 예를 들어 장대 양봉 몸통의 절반 가격이 만원이라면 10,200원에서 9,800원 사이에 동일 수량으로 매수를 걸어 두라는 것이다. 물량 확보를 위해 너무 급하게 매수하지 말고 느긋하게 매수해야 좋은 결과를 낼 수 있다. 물량 확보가 안 되면 확보된 물량으로만 매매해야 한다. 필자가 실험하고 검증한 결과 200종목 중 176종목이 성공하여 88%의 성공률을 기록하였다.

3) 종목 선정 요령과 주의 사항

① 상한가 갔던 종목이나 20% 이상 상승 종목을 관심 종목에 등록한다.

② 상한가 갔던 종목이나 20% 이상 상승한 종목 중 꼭대기에

서 주가가 절반 가까이 하락하면 '황금비율' 종목이라는 제목을 붙여 관심 종목으로 입력해 둔다.

③ 관찰한 종목들의 내재가치를 분석해 보고 나쁘지 않은 기업을 선정한다. 지속 적자기업, 고평가 기업, 주가가 이미 많이 상승한 종목은 매수 대상에서 제외한다.

④ 바닥에서 처음 올라온 상한가 종목이나 20% 이상 상승 종목이 주가가 황금비율 정도 눌리면 매매가 성공할 확률이 상당히 높다.

⑤ 선정한 종목의 상한가 꼭대기에서 50%~60% 정도를 계산하여 예약 매수를 걸어 둔다.

⑥ 상한가 꼭대기에서 절반 밑으로 더 내려갈 것으로 생각하고 기계적으로 천천히 분할매수 해야 한다.

⑦ 자기가 확보한 물량에서 2% 이상 이익이 나면 바로 매도한다.

⑧ 분할매수 완료 후 이익을 실현하기까지 대개 늦어도 한 달 이내의 시간이 걸린다. 가끔 2개월 정도 걸린 종목이 있었으나 일반적으로 그다음 날부터 1개월 이내에 이익이 났었다.

⑨ 한 번만 하는 것을 원칙으로 하지만 이익을 내고 나온 종목의 주가가 다시 그게 하락했을 때 기업이 내재가치에 비해 의미

있는 저평가라면 다시 매수해도 된다.

다음은 '태웅로직스'라는 종목인데 주가가 크게 오르다가 조정을 받으면서 황금비율 아래로 내려온 후 그것을 보고 매수했다면 여러 번 수익을 주고 있음을 알 수 있다.

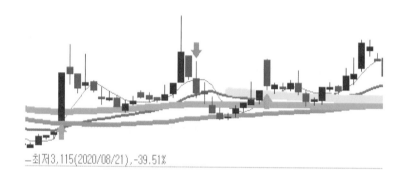

─최저3,115(2020/08/21),-39.51%

⑩ 분할 매수할 때 절대 흥분하거나 감정이 개입되어서는 안 되고 하루에 계획한 수량만 기계적으로 매수해야 한다.

4) '황금비율 매매'에 물렸을 경우 대처 방법
필자의 통계에 의하면 확률적으로 12% 정도는 실패하기 때문에 '황금비율' 매매를 하다가 물릴 수도 있다. 황금비율 매매는 물릴 경우 인내하고 기다릴 수밖에 없는데 실패 확률을 더 줄이기 위해서는 다른 매매와 마찬가지로 기업 분석을 철저히 해야 한다. 기업 내용이 좋고 저평가 되어 있으며 바닥에서 처음 올라온 상한가 종목이나 20% 이상 오른 종목이 황금비율까지 눌렸다가 더 떨어져 물린 경우는 인내하고 기다리면 필자의 경험상 반드시 좋은 결과를 가져다주었다. 물론 예수금이 남아 있다면 75% 아래로 더 떨어졌을 때 예수금을 다 사용해도 된다. 어차피 주식투자가 심리 싸움이기 때문에 심리적으로 쫄면 패배가 기다리고 있을 뿐이다. 다음에 필자가 연구한 200종목을 관찰해 보자.

연번	종목명	성공/실패
1	디에이피	실패
2	진성티이씨	성공
3	아세아제지	성공
4	벨로프	성공
5	신성델타테크	성공
6	DI동일	실패
7	이구산업	성공
8	라이콤	성공
9	광전자	성공
10	서플러스글로벌	성공
11	인산가	실패
12	티에스이	성공
13	동국홀딩스	성공
14	디티엔씨	성공
15	NE능률	성공
16	와이어블	성공
17	KG모빌리언스	실패
18	덕신하우징	성공
19	한국전자금융	성공
20	남광토건	성공
21	한전산업	실패
22	우진	성공
23	와이엠씨	성공

24	피앤씨테크	성공
25	동국알앤에스	성공
26	파인테크닉스	실패
27	에이치엘사이언스	실패
28	웰킵스하이텍	실패
29	포커스에이치엔스	실패
30	바텍	성공
31	플레이디	실패
32	이엠넷	성공
33	제주은행	실패
34	린드먼아시아	성공
35	모비릭스	성공
36	SG&G	성공
37	마크로젠	성공
38	미래컴퍼니	성공
39	기산텔레콤	성공
40	남성	성공
41	대상홀딩스	실패
42	엔피케이	성공
43	에스티아이	성공
44	SJM홀딩스	성공
45	네오오토	성공
46	피델릭스	성공
47	코스텍시스	성공
48	샘표식품	실패
49	바이옵트로	성공
50	보라티알	성공

51	한국전자홀딩스	성공
52	제이씨현시스템	성공
53	금강공업	성공
54	동양에스텍	성공
55	모헨즈	성공
56	한독크린텍	성공
57	대봉엘에스	성공
58	위드텍	성공
59	KG케미칼	성공
60	에스코넥	성공
61	네오팜	성공
62	에스와이	성공
63	콤텍시스템	성공
64	피씨디렉트	실패
65	대유에이피	성공
66	에이텍모빌리티	성공
67	휴네시온	성공
68	한진칼	성공
69	나무기술	성공
70	상신브레이크	성공
71	HL D&I	실패
72	대성미생물	실패
73	그래디언트	성공
74	대원미디어	성공
75	에스엔유	성공
76	아비코전자	성공
77	티엘비	성공

78	센코	성공
79	비씨엔씨	성공
80	오상자이엘	성공
81	현대비앤지스틸	성공
82	이글벳	실패
83	중앙백신	실패
84	원바이오젠	성공
85	인터플렉스	성공
86	일승	성공
87	선진뷰티사이언스	성공
88	코데즈컴바인	성공
89	옵투스제약	성공
90	씨큐브	성공
91	삼화전지	성공
92	성문전자	성공
93	한국내화	성공
94	한컴라이프케어	성공
95	드림씨아이에스	성공
96	삼양사	성공
97	서원	성공
98	디알텍	성공
99	슈프리마에이치큐	성공
100	태경산업	성공
101	S&K폴리텍	성공
102	지에스이	성공
103	KBI메탈	성공
104	태웅로직스	성공

105	인지디스플레이	성공
106	엘오티베큠	성공
107	아세아텍	성공
108	효성오앤비	성공
109	양지사	성공
110	한일화학	성공
111	KB오토시스	성공
112	SIMPAC	성공
113	HD현대인프라코어	성공
114	나래나노텍	성공
115	삼진	성공
116	KTis	성공
117	현대엘리베이	성공
118	제일전기공업	성공
119	마이크로컨텍솔	성공
120	야스	성공
121	황금에스티	성공
122	티에프이	성공
123	동아엘텍	성공
124	삼익 THK	성공
125	유니테크노	실패
126	앤피디	성공
127	태성	성공
128	더블유에스아이	성공
129	나라엠앤디	실패
130	케이피에프	성공
131	엠케이전자	성공

132	플래티어	실패
133	수산아이앤티	실패
134	위메이드플레이	성공
135	유니온	성공
136	제주반도체	성공
137	에스텍파마	성공
138	코리아에셋투자증권	성공
139	웅진	성공
140	현대에이치티	성공
141	오픈베이스	성공
142	대성에너지	성공
143	혜인	성공
144	하이텍팜	성공
145	엠투엔	성공
146	보락	성공
147	디딤이엔에프	성공
148	텔레칩스	성공
149	성우전자	성공
150	에코바이오	성공
151	싸이토젠	성공
152	국영지앤엠	성공
153	한솔홈데코	성공
154	SDN	성공
155	오스템	성공
156	녹십자웰빙	성공
157	두산퓨얼셀	성공
158	솔루스첨단소재	성공

159	유니테스트	성공
160	DSR	성공
161	세진중공업	성공
162	수젠텍	성공
163	한화솔루션	성공
164	에이치엘비	성공
165	예스24	성공
166	바디텍메드	성공
167	iMBC	성공
168	진양제약	성공
169	서울제약	성공
170	디엔에이링크	성공
171	동일기연	성공
172	사조오양	성공
173	사조씨푸드	성공
174	시너지이노베이션	성공
175	한국패키지	성공
176	한익스프레스	성공
177	삼륭물산	성공
178	코오롱글로벌	성공
179	영림원소프트랩	성공
180	금호에이치티	성공
181	링네트	성공
182	STX엔진	성공
183	광동제약	성공
184	영진제약	성공
185	우신시스템	성공

186	STX	성공
187	기가레인	성공
188	일양약품우	성공
189	모토닉	성공
190	엘엠에스	성공
191	SGA솔루션즈	실패
192	금비	실패
193	이루온	성공
194	메가엠디	성공
195	대정화금	성공
196	동양이엔피	성공
197	이수앱지스	성공
198	그린플러스	성공
199	와인엔텍	성공
200	케이씨	성공

(19) '상다매매' 종목 매매 전략

1) '상다매매' 연구 개요와 근거

필자는 27년 주식에 투자하면서 '단기매매로 이익을 크게 냈다'
는 단기 매매자들의 책을 많이 읽어 보았다. 그들이 단기에 수
익을 내는 비결을 알아보니 대개 '상따매매'(상한가 갔던 종목을
같이 따라 들어가 매수하고 그다음 날 주가가 위로 떴을 때 매
도하는 방법)로 이익을 내는 방법이었다. 물론 지금도 그러한 매
매가 유효하지 않은 것은 아니지만 [상한/하한]의 폭이 30%로
높아진 지금, 잘못 따라 들어가면 큰 손해를 볼 수 있다는 위험
성 때문에 필자는 단 한 번도 '상따매매'를 해본 적이 없다. 실
패하면 급락하기 때문이다. 그 대신 상한가 다음날 여러 종목의
주가 움직임을 아주 자세히 관찰하여 보니 다음과 같은 흥미로
운 결과를 얻을 수 있었다.

"어떤 종목이든 상한가 갔던 다음 날의 주가는 오르고 내리는
폭이 상당히 크다."

이러한 사실에 기초하여 필자는 상한가 다음날 주가가 어떻게
움직이는지 약 5년간 주의 깊게 관찰하였고 그 결과 상한가
다음 날 시초가 매매가 상당히 성공 확률이 높다는 결과를 얻을
수 있었다.

① '상다매매' 성공 종목 (KBG 시초가 11.87% 고가 16.35%)

위 종목을 11.87% 오른 시초가에 바로 매수하고 2% 더 높은 가격에 매도를 걸었다면 고가가 16.35%까지 올랐으므로 상다매매에 성공했을 것이다.

② '상다매매' 성공 종목 (태성 시초가 1.60%, 고가 9.09%)

위 종목을 1.60% 오른 시초가에 바로 매수하고 2% 더 높은 가격에 매도를 걸었다면 고가가 9.09%까지 올랐으므로 상다매 매에 성공했을 것이다.

③ '상다매매' 성공 종목(이노진 시초가 9.85%, 고가 24.06%)

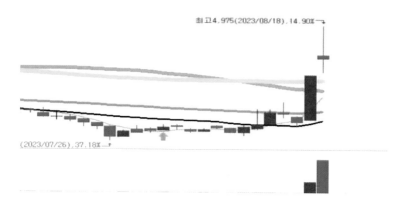

위 종목을 9.85% 오른 시초가에 바로 매수하고 2% 더 높은 가격에 매도를 걸었다면 고가가 24.06%까지 올랐으므로 상다매 매에 성공했을 것이다.

④ '상다매매' 성공 종목(상보 시초가 9.61% 고가 28.18%)

위 종목을 9.61% 오른 시초가에 바로 매수하고 2% 더 높은 가격에 매도를 걸었다면 고가가 28.18%까지 올랐으므로 상다매매에 성공했을 것이다.

⑤ '상다매매' 성공 종목 (NE능률 시초가 9.08% 고가 25%)

위 종목을 9.61% 오른 시초가에 바로 매수하고 2% 더 높은 가격에 매도를 걸었다면 고가가 28.18%까지 올랐으므로 상다매매에 성공했을 것이다.

⑥ '상다매매' 실패 종목(비씨엔씨 시초가 12.44% 고가 12.67%)

위 종목을 12.44% 오른 시초가에 바로 매수하고 2% 더 높은 가격에 매도를 걸었다면 고가가 12.67%까지만 올랐으므로 상다 매매에 실패했을 것이다.

⑦ '상다매매' 실패 종목(씨유박스 시초가 2.98%, 고가 4.50%)

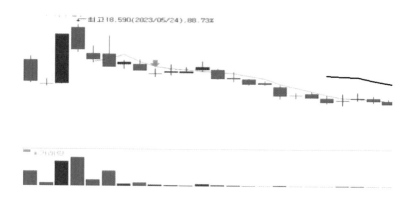

위 종목을 2.98% 오른 시초가에 바로 매수하고 2% 더 높은 가격에 매도를 걸었다면 고가가 4.50%까지만 올랐으므로 상다 매매에 실패했을 것이다.

2) 어떻게 매매하는 것인가?

상한가 다음날 매매('상다매매')를 하려면 시초가에 시장가로 매수하고자 하는 물량을 전부 사고(만일 장 시작 초기에 아래 가격에서 분할매수 한다면 단가를 더 낮춰 살 수 있으나 원하는 물량을 다 확보할 수가 없다는 단점이 있다) 빠른 동작으로 2% 위에 매도를 걸어 두면 성공할 확률은 약 85.3%이다. 필자가 이 글을 쓰기 전 최근 관찰하였던 300종목 중 256종목이 시초가 대비 2% 이상 상승하였다. 아마 1% 이익을 목표로 목표가를 낮춰 매매 한다면 성공 확률은 90%가 넘을 것이다. 만일 시초가 대비 3% 상승을 목표로 한다면 207종목이 성공했으므로 성공 확률은 80.7%였다.

3) 종목 선정 요령과 주의 사항
① 매일 상한가 갔던 종목을 관심 종목으로 등록한다.

② 이른 시간에 상한가 갔던 종목, 체결 강도가 높은 종목을 우선 고려한다.

③ 상한가 다음 날 전일 종가로 매수 잔량이 많은 종목을 우선 고려한다.

④ 다음 날 혹은 그 뒤에도 이슈가 이어질 수 있는 종목이어야 한다.

⑤ 월봉상 바닥에서 첫 상한가인 종목이 안전하다.

⑥ 기업 내용이 좋고 물릴 각오가 된 종목만 매수한다. 물리면 상한가 꼭대기에서 절반 하락할 때까지 기다리고 그 이하에서

분할 매수하여 단가를 크게 낮추고 반등할 때 빠져나와야 한다. 물릴 때를 대비하여 치밀한 시나리오를 생각하고 들어가야 할 것이다. 앞에서 언급한 황금비율 분할 매매를 생각하면서 매매 Process를 지켜야 한다.

⑦ 상다매매는 그날 한 번만 하고 나온다. 두 번 매매하지 않는다. (과욕 금지!)

⑧ 시초가가 10% 이하에서 시작하는 종목을 우선 고려한다. 시초가가 너무 높게 시작하면 내가 이익날 확률이 낮기 때문이다.

⑨ 지속 적자기업, 주가가 상당히 오른 종목은 매매하지 않는다.

4) 상다매매에 물렸을 경우 대처 방법
필자는 수도 없이 상다매매를 했지만, 물린 경험이 여섯 번 정도이다. 이때 대처요령을 설명하고자 한다. 예를 들어 상다매매 하는 날 시초가에 5백만 원을 매수했다가 물리면 최소한 2천만 원의 추가 매수 자금이 있어야 한다. 따라서 큰 금액을 상다매 매에 다 사용하다 나중에 물리면 대단히 고생하거나 큰 손해를 볼 수 있으므로 총 주식투자 가용 금액의 10분의 1 혹은 5분의 1만 사용하기를 바란다.

필자는 여섯 종목에 물렸다가 여섯 종목이 폭락하기를 기다려 처음 매수한 금액보다 몇 배를 추가 매수하고 장대 양봉의 가운데 정도 금액으로 평균단가를 낮춰서 주가가 반등할 때 더 큰 이익을 내고 빠져나왔다. 따라서 첫날 사서 물리면 절대 바로 물을 타면 안 되고 주가가 폭락하기를 기다려야 한다. 상한가 캔들의 가운데 정도에 주가가 왔을 때 (앞에서 이미 여러 번 언급한 황금비율 분할매수법을 사용한다.)처음 매수한 금액의 2배~3배, 그리고 더 빠지면 2배~3배 더, 그리고 또 빠지면 나머지 금액을 다 사용해야 한다. (빠지는 정도는 피보나치 조정 비율이면 가장 효율적으로 대처할 수 있다.)대개 상한가 간 종목들은 상한가 캔들의 절반을 깨면 기술적 반등이 일어날 확률이 높다. 이때 반등을 주면 팔고 나와야 한다. 필자는 실험 삼아 하루에 여섯 종목을 동시에 '상다매매' 해본 적이 있는데 네 종목은 그날 이익을 실현했고 나머지 두 개는 이익 내고 빠져나오는데 10일 정도의 시간이 걸렸다.

5) 시간 외 상한가 종목 다음날 매매에 대하여
시간 외에서 상한가 갔던 종목을 그다음 날 아침에 매매하는 '시간외 상다매매' 전략은 그리 추천할 만한 전략이 아니다. 필자가 연구한 바로는 시간 외 상한가 갔던 종목들의 그다음 날 움직임은 주가가 더 상승하는 예도 있지만, 음봉으로 크게 밀리는 경우가 더 많아 상당히 주의해야 한다. 대개 시간 외에서는 적은 금액으로 상한가를 만들 수 있으므로 작전 세력들이 시간 외에서 상한가로 올려놓고 그다음 날 시초가부터 아래로 밀어버리는 자전을 하는 경우가 상당히 많으니 주의하기를 바란다.

(20) 상다매매 종목 연구

연번	종목명	수익률 (%)	성공/실패
1	비씨엔씨		실패
2	씨유박스		실패
3	웰바이오텍	25.36	성공
4	APS		실패
5	까스텔바작	4.16	성공
6	디와이디	22.9	성공
7	제이아이테크		실패
8	삼부토건	4.61	성공
9	테라사이언스		실패
10	인디에프		실패
11	미래반도체	6.16	성공
12	서울바이오시스	10.98	성공
13	에이디칩스	10.7	성공
14	소룩스	7.51	성공
15	자이글	10.83	성공
16	삼화전기	4.38	성공
17	에스엔유	4.24	성공
18	캐리소프트	5.92	성공
19	삼화전자	28.9	성공
20	그래디언트	10.14	성공
21	프로이천	9.11	성공
23	디알텍	22.64	성공
24	인베니아	14.54	성공

25	엑스게이트	18.09	성공
26	대원화성		실패
27	다이나믹디자인	11.09	성공
28	메타바이오메드	18.19	성공
29	중앙백신	22.69	성공
30	미래생명자원	24.92	성공
31	두올	9.1	성공
32	네오오토	17.9	성공
33	한세엠케이	7.15	성공
34	상지카일룸		실패
35	SJM	10.52	성공
36	오리엔트정공	12.63	성공
37	디젠스	15.52	성공
38	일승		실패
39	미래아이앤지	9.84	성공
40	이트론	25.46	성공
41	대성미생물	17.52	성공
42	크리스탈신소재		실패
43	모비스	5.58	성공
44	평화산업	6.18	성공
45	화천기계	13.43	성공
46	코스메카코리아	11.38	성공
47	SJM홀딩스	28.43	성공
48	잉글우드랩	30.95	성공
49	오가닉티코스메	19.26	성공
50	나노브릭	16.59	성공
51	슈어소프트테크	2.44	성공

52	라이콤	5.45	성공
53	비케이홀딩스	6.87	성공
54	삼양사		실패
55	대한제당	9.97	성공
56	삼영	3.16	성공
57	성호전자	19.11	성공
58	인성정보	11.89	성공
59	이화산업	20.39	성공
60	메디프론	5.67	성공
61	지엔씨에너지	3.77	성공
62	에코바이오		실패
63	성문전자	24.49	성공
64	유니온머티리얼	14.28	성공
65	상신전자		실패
66	한일화학	6.97	성공
67	케스피온	6.17	성공
68	씨큐브	13.37	성공
69	서원	2.16	성공
70	CNT85	4.49	성공
71	애경케미칼	16.21	성공
72	엔투텍	10.87	성공
73	EG	20.79	성공
74	씨씨에스	2.98	성공
75	KD	6.79	성공
76	지엘팜텍	2.91	성공
77	시티랩스	5.82	성공
78	이브이첨단소재	14.67	성공

79	휴맥스홀딩스	3.94	성공
80	휴엠앤씨	5.88	성공
81	엑스페릭스	8.86	성공
82	이화전기	26.99	성공
83	대우부품	9.11	성공
84	에이프로젠 H&G		실패
85	덕양산업		실패
86	케이바이오	18.75	성공
87	셀바이오휴먼텍	6.29	성공
88	상상인인더스트리	7.67	성공
89	STX	19.49	성공
90	KC코트렐	7.09	성공
91	선익시스템	7.6	성공
92	누보	14.4	성공
93	에이에프더블류	20.2	성공
94	한농화성	18.36	성공
95	에쓰씨엔지니어	7.05	성공
96	엑서지21	16.7	성공
97	신라섬유	5.43	성공
98	양지사	12.04	성공
99	KBI메탈	2.11	성공
100	케일럼		실패
101	메디콕스		실패
102	S&K폴리텍	7.07	성공
103	세토피아	12.39	성공
104	글로본	9.2	성공

105	스튜디오산타클로스	22.58	성공
106	영풍제지	4.66	성공
107	자비스	18.1	성공
108	현대무벡스	3.84	성공
109	이아이디	33.07	성공
110	KBG	15.86	성공
111	유일에너테크	25.6	성공
112	더메디팜	12.22	성공
113	티에스아이	4.62	성공
114	초록뱀이앤엠	6.39	성공
115	모베이스전자	11.18	성공
116	비츠로시스	7.3	성공
117	선바이오	8.29	성공
118	에스엠벡셀	15.4	성공
119	포스코DX	17.95	성공
120	포스코스틸리온	13.25	성공
121	알에프세미	9.84	성공
122	진양폴리	10.79	성공
123	박셀바이오	8.3	성공
124	DSEN	12.6	성공
125	미코바이오메드	10.29	성공
126	오파스넷	8.19	성공
127	큐로컴	15.04	성공
128	슈프리마에이치큐	5.75	성공
129	티로보틱스	14.72	성공
130	KB오토시스	19.5	성공

131	케이피엠테크	8.25	성공
132	제일바이오	16.21	성공
133	한주라이트메탈	2.89	성공
134	한일진공	28.04	성공
135	한국정밀기계	17.43	성공
136	노바텍	4.32	성공
137	DB	17.97	성공
138	에스맥	22.13	성공
139	유니온		실패
140	경동인베스트	15.13	성공
141	HLB이노베이션	7.57	성공
142	스카이문스테크놀로지	14.1	성공
143	현대비앤지스틸	5.92	성공
144	윈텍	10.54	성공
145	EDGC	2.48	성공
146	CJ 바이오사이언스	10.59	성공
147	메드팩토	3.15	성공
148	젠큐릭스	14.7	성공
149	지오릿에너지	3.58	성공
150	넥스턴바이오	22.01	성공
151	비엘팜텍	9.35	성공
152	이구산업	25.12	성공
153	코스모화학	10.74	성공
154	에스피시스템스		실패
155	카나리아바이오	28.32	성공
156	엠플러스		실패

157	BGF에코머티리얼즈	11.65	성공
158	이엔플러스	5.6	성공
159	LB인베스트먼트	14.2	성공
160	펨트론	4.82	성공
161	야스	20.05	성공
162	화인써키트	8.9	성공
163	중앙디앤엠	24.13	성공
164	서남	5.04	성공
165	아우딘퓨처스	23.27	성공
166	포스코엠텍	16.36	성공
167	엔터파트너즈	7.36	성공
168	에이티세미콘		실패
169	휴마시스	12.81	성공
170	저스템	9.33	성공
171	태경비케이		실패
172	라온텍	3.4	성공
173	위세아이텍		실패
174	셀바스헬스케어	21.68	성공
175	강원에너지	10.36	성공
176	아스타	11.32	성공
177	큐로홀딩스	3.55	성공
178	코센	5.11	성공
179	에스코넥	18.47	성공
180	뉴로메카	2.13	성공
181	레인보우로보틱스	20.22	성공
182	웰킵스하이텍	13.04	성공

183	삼아알미늄	17.41	성공
184	나래나노텍	10.14	성공
185	지더블유바이텍	10.17	성공
186	엠로	23.61	성공
187	금양그린파워	17.34	성공
188	케이씨에스	22.67	성공
189	티라유텍	6.62	성공
190	에스에이티이엔지	3.01	성공
191	석경에이티	8.91	성공
192	레몬	22.09	성공
193	코이즈	24.29	성공
194	KG케미칼	3.76	성공
195	폴라리스오피스	15.78	성공
196	이수화학	7.93	성공
197	하이드로리튬	8.65	성공
198	에코프로에이치엔	18.44	성공
199	LS전선아시아		실패
200	신풍제약	15.93	성공
201	우신시스템	17.76	성공
202	LS네트웍스	7.33	성공
203	대봉엘에스		실패
204	나라셀라	2.09	성공
205	LS	11.08	성공
206	넥스트아이	10.6	성공
207	포스코인터내셔널	9.39	성공
208	에이프로젠		실패

209	유비온	16.47	성공
210	신테카바이오	22.14	성공
211	제이스코홀딩스	3.86	성공
212	인벤티지랩	8.24	성공
213	펩트론		실패
214	딥노이드	3.23	성공
215	코스나인	21.47	성공
216	아이센스	20.46	성공
217	프레스티지바이오로직스	2.21	성공
218	프레스티지바이오파마	7.61	성공
219	알체라	17.01	성공
220	디에이피	3.56	성공
221	성우테크론	2.73	성공
222	네오셈	20.23	성공
223	한미반도체	16.62	성공
224	태성	25.55	성공
225	비에이치아이	7.8	성공
226	큐라티스		실패
227	아이오케이	17.43	성공
228	한전산업		실패
229	유신	4.42	성공
230	덴티스	10.57	성공
231	와이즈버즈	11.72	성공
232	플레이디	7.06	성공
233	에이치엘사이언스	3.7	성공
234	포커스에이치엔	5.73	성공

235	알멕	6.12	성공
236	에스앤더블류	21.89	성공
237	대원강업	18.8	성공
238	올리패스		실패
239	포시에스	5.14	성공
240	코드네이처	8.66	성공
241	금호전기	3.29	성공
242	파이버프로		실패
243	KG모빌리언스	13.51	성공
244	카페24	13.26	성공
245	에이디엠코리아	9.45	성공
246	TS트릴리온	6.24	성공
247	동운아나텍	32.21	성공
248	와이어블	14.33	성공
249	신진에스엠		실패
250	비스토스	6.28	성공
251	남성	4.34	성공
252	SG	2.8	성공
253	기가비스		실패
254	비비안	3.21	성공
255	웨이버스	3.71	성공
256	파나진	7.25	성공
257	상보	18.57	성공
258	디모아		실패
259	위드텍		실패
260	NE능률	15.92	성공
261	에스트래픽	3.35	성공

262	티에프이	7.7	성공
263	루닛	3.82	성공
264	흥아해운	16.96	성공
265	디티앤씨	4.48	성공
266	이노인스트루먼트	10.78	성공
267	동국홀딩스	21.54	성공
268	다산네트웍스	9.53	성공
269	모헨즈	2.26	성공
270	파멥신	6.4	성공
271	CBI	6.04	성공
272	아이톡시	17.99	성공
273	다산솔루에타	22.49	성공
274	샘표	25.82	성공
275	보라티알	30	성공
276	신송홀딩스	23.17	성공
277	아이크래프트	16.21	성공
278	이수스페셜티케미컬	10.95	성공
279	인산가		실패
280	레이저쎌	14.26	성공
281	라이온켐텍	3.28	성공
282	한국전자홀딩스		실패
283	현대바이오	5.9	성공
284	압타머사이언스		실패
285	휴네시온		실패
286	마녀공장	22.71	성공
287	프로텍	5.13	성공

288	바이옵트로		실패
289	유니슨	4.07	성공
290	솔트웨어	17.09	성공
291	하인크코리아	2.61	성공
292	일성신약	26.97	성공
293	미래컴퍼니	28.03	성공
294	세아베스틸지주		실패
295	브리지텍	4.92	성공
296	케이피에프	8.25	성공
297	지니틱스		실패
298	디스플레이텍		실패
299	HLB	3.99	성공
300	이노진		실패

Chapter 4.

Daniel의 투자 경험 Essay

Daniel의 투자 경험 Essay 1

Q: 기본적 분석을 꼭 알아야 해요? 좋은 기업만 꼭 매매해야 하나요? 주가가 크게 오른 기업들 보면 적자기업투성이던데 그냥 아무거나 사면 안 됩니까?

A: 결론부터 말하면 기본적 분석을 통해 반드시 기업가치를 계산해 보고 매수를 결정해야 합니다. 기업의 주가가 오르는 것에 영향을 주는 것이 꼭 저평가되어 있어야 하는 건 아니지만 기업분석을 안하고 아무 기업이나 매수하게 되면 나중에 큰 어려움을 겪을 수 있습니다. 오르는 건 적자기업도 오르지만 주가가 내릴 때는 적자기업이 먼저 내리고 훨씬 크게 내리며 정도가 심하면 관리기업으로 갔다가 상장폐지로도 갈 수 있기 때문입니다. 이화 그룹 3사(이아이디, 이트론, 이화전기)가 상장폐지 결정된 적이 있습니다. 주식투자는 100번 잘하다가도 한 번 실수하면 바로 인생이 끝날 수 있음을 명심해야 합니다. 필자는 단타를 할 때도 반드시 기업 내용이 좋고 저평가된 것만 매매하고 있습니다. 고평가된 기업이나 적자기업은 아예 매수 대상에서 제외해야 합니다. 그래야 나중에 탈이 없습니다. 명심하십시오 !! 단타를 하더라도 반드시 기업 내용이 좋고, 저평가된 기업만 매매해야 나중에 탈이 없다는 것을.

Daniel의 투자 경험 Essay 2

Q: 기업 분석을 어떤 식으로 해야 할지 모르겠어요? 내가 매수할 기업에 대해 꼭 알아야 할 것이 무엇인가요?

A: 기업 분석이라는 것은 기업의 가치를 추정하고 기업의 펀더멘털 (기업이 가지고 있는 경제적 능력 및 잠재적 성장성)을 점검해 보는 것입니다. 현시점에서의 정확한 가치 추정은 불가능하지만 대충의 가치는 파악할 수 있습니다. 아래에 간단한 기업 분석 양식을 올려 드립니다. 기업 내용을 조사하고 아래 양식의 빈칸을 채워보면서 매출, 영업이익, 순이익이 성장하는지 시장에서 적정하게 기업 가치를 인정받고 있는지 파악해 보시고 10년 동안 주가의 꼭지와 바닥 및 중간값도 계산해 보시기 바랍니다. 정상적인 기업이라면 주가가 Cycle을 그리기 때문에 중간값 아래에서 매수했을 때 중장기 인내할 수만 있다면 반드시 그 위로 올라옵니다.

[간단한 기업 분석 양식 By Daniel]

구분		기업 이름	기업 이름
PER			
PBR			
PCR (현금흐름대비 주가)			
시가배당률(%)			
10년 간	주가 움직임		
	주가 중간값		
적정 주가			
매출액 (억)	2022		
	2023		
	2024(E)		
ROE (%)	2022		
	2023		
	2024(E)		
최대 주주 지분율			
PEG			

	(PER/EPS 성장률)		
재무 상태	부채비율 (%)		
	당좌비율 (%)		
	유보율(%)		
시가 총액(억)			
유동자산 (현금성 자산)			
성장 가능성 코멘트			

Daniel의 투자 경험 Essay 3

Q: 저평가된 기업에 가치 투자하고 기다리면 정말 주가가 크게 오르나요?

A: 결론을 먼저 말하면 미국 시장에서는 저평가된 기업에 투자 하면 주가가 크게 오르지만 한국 시장은 절반만 맞는 말입니다. 기업 내용이 좋고 아무리 저평가돼 있어도 주가가 안 오르는 기 업들이 많다는 것입니다. 그 이유를 27년간의 투자 경험을 떠올 리며 곰곰이 생각해 보니, 투명하지 못한 기업의 지배구조. 배당 과 자사주 매입 및 소각 등 주주환원 미흡, 상속세 증여세로 인 한 최대 주주의 주가 누르기, 대주주의 일방적 경영 의사 결정 으로 인한 소액주주들의 피해, 그리고 불법 공매도와 작전 세력 의 활개로 인한 주식시장 왜곡 정도로 요약할 수 있을 것 같습 니다.

2023.08.24.일 한국경제신문에 나온 기사를 한 번 읽어 보시고 가치투자를 해야 할지 아니면 단타와 가치투자 둘 다 해야 할지 혹은 단기매매만 해야 할지 고민해 보십시오. 필자가 가장 효율 적이라 여기는 것은 단기 매매 80% 중기 투자 20% 정도로 비 중을 나누어 투자하는 것입니다.

"요새 지인들 모이면 하는 말이 '가치투자'는 곧 "같이 죽자"랍니다." 직장인 A씨의 푸념이자 최근 들어 심화한 테마주 장세에 피로감을 느낀 개인투자자들의 심정을 대변하는 말이다. A씨는 "예전엔 최소 6개월 이상의 가치투자를 선호했지만, 지금과 같이 변동성이 큰 장세에선 올랐다 싶으면 팔아치우는 패턴을 반복하고 있다"며 "자문사, 운용사 지인들도 가치주에 예전만큼 비중을 두지 않고 있는 걸로 안다"고 전했다. 최근 변동성 장세 속 테마주 급등 현상이 지속되면서 가치주 투자에 대한 회의적인 시선이 늘어나는 분위기다. 하지만 대외 불확실성에 지수 방향성에 대한 베팅이 어려운 가운데 테마주를 찾는 움직임이 더욱 심화할 것이란 게 증권가 전망이다.

24일 한국거래소에 따르면 8월 들어(8월1~23일) 국내 주식시장 수익률 상위권에는 초전도체, 맥신 관련 종목들이 줄지어 올랐다. 상승률 1위는 초전도체 관련주 신성델타테크다. 이 기간 수익률이 220%에 육박했다. 이어 맥신 테마주로 분류된 휴비스가 수익률 150%로 2위에 올랐다. 같은 기간 파워로직스(초전도체) 69%, 코닉오토메이션(맥신) 55% 등 대부분의 초전도체·맥신 관련주가 크게 뛰었다.

"나만 놓칠 수 없지"…테마주로 몰리는 관심
상반기 이차전지 광풍에서 시작한 테마주 열풍은 초전도체, 맥신 등으로 이어지고 있다. 다만 수급 쏠림에 의한 '반짝 급등'에 그치면서 단타 거래에 유리한 환경이 조성됐다. "나만 돈 벌 기회를 놓칠 수 없다"는 이른바 '포모(Fear Of Missing

Out·FOMO) 증후군'까지 맞물리면서 가치주 투자에 대한 매력도는 하락할 수밖에 없었다. 실제 초전도체·맥신 등 테마 관련 단타 거래는 폭증했다. 이달(8월 1~23일) 신성델타테크의 회전율은 814.46%로 기록됐다. 지난달(7월3~31일)까지만 해도 98.46% 수준이었는데 9배가량 높아졌다. 회전율은 일정 기간 거래량을 상장 주식 수로 나눈 값으로, 이 수치가 높을수록 손바뀜이 자주 일어났단 의미다. 같은 기간 또다른 초전도체 관련주인 모비스의 회전율은 1,400%가 넘는다. 전달의 29.27%보다 약 50배 높다.

일부 운용사들에서도 기존의 전략을 바꿔 테마주로 눈을 돌리는 곳이 늘고 있단 전언이다. 가뜩이나 운용사들은 지난 상반기 예상치 못한 에코프로 급등에 데였던 경험이 있다. 에코프로를 담지 못한 탓에 수익률이 저조해 죄송하단 내용의 운용사 대표의 사과문까지 등장했을 정도였다.

한 운용사 관계자는 "시장 상황이나 종목에 대해 운용사나 매니저별로 해석에 차이가 있는 만큼 대응에도 차이가 있을 것"이라며 "운용사마다 기본적으로 기존의 콘셉트에 맞춰 투자하거나 운용하겠지만, 시장 상황에 따라 테마주 비중을 높이는 등 약간의 다양성은 줄 수 있을 것"이라고 말했다. 그는 "특정 컨셉을 고수하는 하우스를 제외하고는 시장에 투자하는 경우가 대부분"이라며 "비중 차이는 있겠지만, 대부분은 테마를 쫓아가는 방식의 운용 전략으로 이같은 장세를 대비할 것"이라고 덧붙였다.

물론 다 그런 건 아니라 게 전반적인 자산운용업계 주장이다. 익명을 요청한 한 운용사 대표는 "(저희 하우스의 경우) 독특한 전략을 세우다 보니 업계를 대변할 순 없지만, 목표 수익률에 도달하기 위해 테마주를 오히려 따라가지 않는 편"이라고 설명했다. 이 대표는 "테마주를 따라가지 않는다고 해서 수익률이 나오지 않는 건 아니다. 우리 하우스도 두드러지는 성과를 내고 있다"라고 부연했다.

"테마주 장세 당분간 지속 전망…변동성 유의"
"요즘 '가치투자'는 '같이 죽자'랍니다"…개미들 푸념

증권가에선 이같은 테마주 장세가 당분간 지속될 것으로 예상한다. 미국의 국채금리 상승, 중국 경기 부진 등 대외적 변수에 지수가 지지부진한 흐름을 이어가는 상황에서 단기 차익을 얻기 위한 테마주 투자가 늘어날 수 있단 판단에서다.

최유준 신한투자증권 연구원은 "관망이 우세한 상황에서 코스닥과 테마주의 반등이 돋보인다"며 "그 이유는 대외 불확실성으로 지수 방향성 베팅이 어렵고, 높은 금리로 요구수익률이 상승한 데다 시장을 주도하는 특별한 호재가 없는 것에 기인한다"고 설명했다. 그러면서 "테마를 찾는 움직임은 더욱 활발해질 것"으로 전망했다.

조준기 SK증권 연구원은 "지수 자체의 방향성이 부재하다 보니 뉴스플로우에 민감하게 움직이는 테마 간의 수급 이동이 초고빈

도로 발생하는 사례가 계속 목격되고 있다"며 "수급 로테이션은 속도가 매우 빠르데다 변동성 또한 매우 큰 상황"이라고 짚었다. 이어 "갈 곳을 찾지 못하고 있는 자금들이 이슈가 되는 테마들로 단기 움직임을 계속 가져가고 있다"며 "증시 전체가 방향성을 확실히 설정하기 전까지는 이러한 사례들이 반복될 것"으로 내다봤다.

문제는 급등락이 반복되면서 투자자들의 손실 가능성이 높아지고 있다는 점이다. 주가 상승을 뒷받침할 근거가 불확실한 탓에 테마주 교체 주기가 점점 짧아지는 점도 투자 위험성을 높이고 있다. 초전도체 테마는 지난달 22일 국내 연구진이 상온 초전도체 'LK-99' 관련 논문을 게재하면서 시작됐지만, 해당 물질의 진위 여부를 둘러싼 공방이 지속되면서 지난 한 달간 상한가 행진을 이어가다 다시 하한가로 곤두박질치는 등 급등락을 수차례 반복했다.

초전도체 테마의 하락세가 짙어질 무렵 지난 17일 맥신 소재가 시장의 또다른 테마주로 떠올랐다. 이날 한국과학기술연구원(KIST) 연구팀이 그간의 한계였던 맥신 대량 가능성을 높이는 기술을 개발했단 소식이 전해지면서다. 조준기 연구원은 "기대감과 이슈에 반응해 올라가고 내려가는 성격이 강하다보니 변동성이 크다"며 투자에 주의하라고 조언했다.

[Source from: 신현아 한경닷컴 기자 기사]

Daniel의 투자 경험 Essay 4

Q: 주가에도 계절성이 있다는 이야기를 들었어요. 특별히 주가가 안 좋은 달과 좋은 달이 있다는데 사실입니까? 주식 투자하기에 좋은 달과 나쁜 달이 있다면 알려주세요?

A: 신기하게도 주가에는 계절성이 있다는 것이 사실입니다. 통계가 잘 정리된 미국 주식을 예로 들어보겠습니다. 아래 그림을 보면 일반적으로 10월부터 12월 사이에 주가가 좋았습니다. 최근 10년간 S&P 500지수의 계절성을 보면 1월과 9월에 주가가 가장 안좋았고 나머지 달은 주가가 나쁘지 않았습니다. (마지막 그림 참조). KOSPI의 경우에도 미국 시장과 비슷하지만 삼성증권의 최근 7년간 연구에 따르면 2월, 3월, 6월, 9월, 10월에 주가가 안좋았고 4월, 7월, 11월, 12월은 비교적 주가가 좋았습니다. 따라서 반드시 그런 것은 아니지만 오랜 시간 통계를 확인해 보면 투자하기에 좋은 달이 있다는 것이 사실이므로 안좋은 달을 피해서 투자하는 것도 현명한 전략입니다.

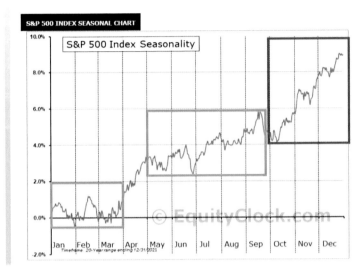

[Source from: EuityClock.com Capture]

[Source from : Topdowncharts.com Capture]

% of Months in Which SPY Closed Higher Than It Opened From 2003 to 2022

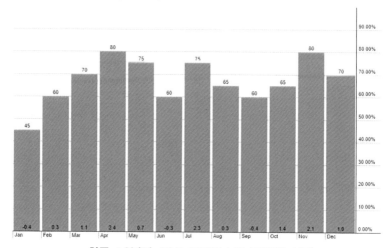

최근 10년간 S&P 500지수의 계절별 성과
[Source from: https://tradethatswing.com]

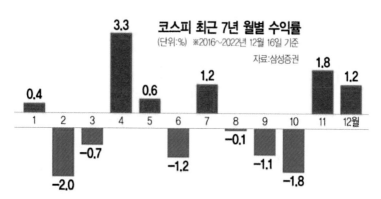

KOSPI 2016년부터 2022년 말까지 월별 수익률
[Source from: 삼성증권]

아울러 대신증권의 연구에 따르면 1월에 주가가 크게 오른다는 것은 사실이 아니며 "1월은 특히 대형주보다 소형주가 수익률이 높다"고 하니 참고하시기를 바랍니다.

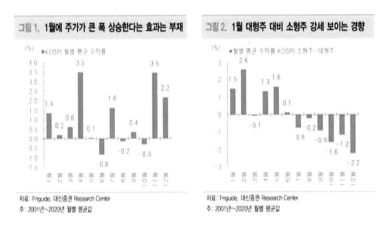

[Source from: 대신증권]

Daniel의 투자 경험 Essay 5

Q: 이 책에 등장하는 여러 가지 매매 전략은 다른 책을 참고하거나 다른 사람에게 들은 것이 아니고 저자 본인이 직접 연구하신 것인가요? 각 매매 전략에 등장하는 통계는 어떤 식으로 작성된 것인지도 궁금합니다.

A: 네. 이 책에 등장하는 모든 전략은 필자가 주식시장을 관찰하면서 연구한 순수하게 저만의 전략이며 저만의 통계입니다. 황금비율의 경우 '피보나치 수열' 이론을 참고하긴 했지만 구체적으로 그러한 것을 이용하여 투자전략을 체계화한 사람은 없습니다. 이 책에 등장하는 단기매매전략의 핵심은 두 가지입니다. 하나는 올라가는 종목은 더 올라가려고 한다는 이론에 올라타는 '추세 추종전략'이고 하나는 올라갔다가 내려오는 종목은 '피보나치수열 부근에서 잠시 되돌림이 나타난다'는 원리를 이용한 것입니다. 이 책에 등장하는 통계를 직접 만들어내기 위해 기울인 노력을 이야기하려면 눈물이 납니다. 2020년부터 매일 이 전략에 해당하는 종목들을 추려내고 추려낸 종목들을 추적하여 어떤

모습을 나타내는지 수치로 기록해야 했기 때문입니다. 이 책이 나오기까지 엄청난 노력과 시간이 들어갔다는 것입니다. 이 책에는 3,667종목으로 나오지만, 이 책에 나오는 통계를 얻기 위해 아마 만 종목 이상 연구했을 겁니다. 실제로 이러한 전략이 구체화되기까지는 8년이라는 세월이 흘렀습니다. 그동안 많은 관찰과 실험을 통한 검증이 있었습니다. 제가 제시한 통계가 믿기지 않으신다면 독자님들 스스로 실제 연구해 보시고 직접 통계를 내보시기 권해드립니다. 아마 비슷한 결과가 나올 것입니다.

Daniel의 투자 경험 Essay 6

Q: 혹시 시중에 책이나 유튜브로도 많이 회자되는 자산 배분 전략이 매력이 있나요? 수익률이 너무 낮은 것 같아요. 시중에 보니 별의별 전략이 다 있던데 전략이 너무 많고 용어도 헷갈리고 ETF도 너무 많아서 뭘 사야 할지도 모르겠어요.

A: 과거에 필자는 '자산배분전략'에 대해 관심도 없었고 책에 별로 언급하고 싶지도 않았으나 폭락장을 여러 번 겪다보니 자산 배분하는 사람이 부러울 때가 가끔 있었습니다. 주식시장이 약세장일 때 주식을 보유하고 있으면 무조건 MDD(최대 하락률)가 -50% 넘어가므로 이런 상황을 도저히 못 참는 안정지향형 보수적 투자자들에게는 자산 배분이 좋은 투자전략이라고 생각합니다. 서로 상반되는 우상향 자산에 꾸준히 투자한다면 은행 이자보다 훨씬 높은 5%~10%의 이익을 매년 기대할 수 있을 것입니다. 시중에 수익률을 더 높이고 MDD는 줄이기 위한 별의별 Portfolio가 다 등장하고 있지만 필자는 신뢰가 가질 않습니다. 일단 미국 관련한 자산은 데이터가 충분해서 어느 정도 신뢰가 가지만 미국 관련 자산과 한국 자산을 섞어서 자산배분하

는 전략은 한국 자산군의 수익률에 대한 자료수집 기간이 너무 나 짧고 100% 신뢰할 수도 없어서 일종의 보여주기식이자 유 튜브 독자를 끌기 위한 'Show'라고 생각하고 있습니다. "수익률 이 훨씬 높고 MDD는 아주 낮다"는 Portfolio를 보면 매수해야 할 자산군이 상당히 복잡해서 투자하기가 무척 불편합니다.

 제가 Back-Test를 수도 없이 해보니 수익률을 높이려면 주식 비중이 높아져야 하고 MDD를 낮추려면 금, 달러, 채권에 투자 를 안할 수가 없기 때문에 별의별 조합을 다 해봐도 연복리수익 률 10%를 넘기면서 MDD를 -20% 이하로 낮추기는 쉬운 일이 아닙니다. 신뢰할 수 있고 비교적 쉬운 Portfolio를 만들어 주식 시장이 약세장일 때 MDD를 -20% 정도로 낮추어서 매년 5% 에서 10%의 이익을 기대해 보십시오.

필자도 자산 배분에 대해 상당 기간 연구해 보았는데 이 책 이 전에 2023년 9월 필자가 출간한 [듣보잡 투자자의 주식단타전 략]에 보시면 비교적 수익률이 높고 MDD가 낮은 자산 배분 전 략을 찾기 위해 엄청난 횟수로 직접 Back Test 해 본 결과를 기록해 두었습니다. 상당히 유용할 것이라 확신합니다.

Daniel의 투자 경험 Essay 7

Q: 이 책을 보는 대부분 사람이 직장인인데 단타 매매를 할 수 있을까요? 전업 투자해야 단타를 할 수 있는 것 아닌가요?

A: 결론적으로 말해서 얼마든지 할 수 있습니다. 내가 직장 생활을 하고 있다면 나의 생활 패턴에 맞는 단타를 하면 됩니다. 초 단위, 분 단위로 시시각각 변동성이 큰 종목의 단타를 할 수는 없겠지만(필자는 이것도 마음먹으면 가능합니다.) 직장인들의 시간 패턴에 맞는 단타를 개발하면 얼마든지 할 수 있습니다.

예를 들어 '장대 양일봉' 종목을 매매한다면 바닥 부근에서 갑자기 거래량이 터지면서 양봉 몸통이 10% 이상 올라온 것 중 상승 이슈가 살아있고 기업 내용이 괜찮은 종목을 지켜보고 있다가 종가에 시장가 주문만 내면 됩니다. 그리고 그다음 날에 전날 종가로 매수한 금액보다 2% 위에 예약매도를 걸어놓으면 됩니다. 물론 관찰할 시간이 있다면 관찰하면서 매도해도 됩니다.

'장대 양주봉' 종목을 단기 매매한다면 금요일 종가로 시장가 주문을 하면 무조건 체결되기 때문에 금요일 3시 20분부터 30분

사이에 주문할 시간 1분만 있으면 됩니다. 그리고 월요일 되기 전에(금, 토, 일 3일 중) 아무 때나 매수한 금액의 4% 위에 예약매도를 걸어놓으면 되고요. 아침 8시 30분부터 9시 30분 사이에 시간이 된다면 '상다매매'도 가능할 것입니다.

정리하면 이 책에 나오는 매매법은 시간을 많이 필요로 하는 단기 매매법이 아닙니다. 직장인들이라 할지라도 얼마든지 본인이 활용할 수 있는 시간 패턴에 따라서 매매할 수 있습니다. 첫 장대 양일봉 매매를 하실지 아니면 느긋하게 첫 장대 양주봉 매매를 하실지 아니면 더 편안하게 첫 장대 양월봉 매매를 하실지 혹은 상다매매나 황금비율을 하실지 아니면 골든크로스 종목을 매매하실지, 정배열 종목을 하실지, 투자주의 종목, 신고가 종목을 하실지 아니면 20일 MA가 상승 반전하는 종목을 하실지, 중기 투자를 하실지 본인의 형편에 따라 결정하시면 됩니다. "나는 이런 이유로 하지 못한다"라고 말하는 것은 핑계입니다. 핑계로 돈 번 사람은 가수 김건모밖에 없을 겁니다.

Daniel의 투자 경험 Essay 8

Q: 이 책에 소개하신 열 한 가지 매매 전략을 실제로 어떻게 활용하는것이 좋을까요? 매매법은 책을 보면 이해가 가는데 어떤 전략을 어떻게 활용해야 효과가 있을지 잘 모르겠고 투자하기가 애매하네요.

A: 필자가 구체적으로 "어떤 매매법을 사용하라"고 권하지 않는 이유는 투자자마다 시간을 활용할 수 있는 상황이 전부 다를 것이라고 생각하기 때문입니다. 성공 확률은 '첫 장대 양월봉' 매매와 20일 MA 상승 반전, 골든크로스 매매, 신고가 종목, 투자주의 종목 등이 높은데 '장대 양월봉' 매매는 이익을 거두는데 비교적 시간이 걸리는 매매법입니다. 따라서 어느 정도 인내할 수 있는 사람들이 선택할 수 있습니다. 상다매매는 그날 몇 분 혹은 몇십 분, 많이 걸려야 그날 안에는 수익 여부가 결정이 되지만 양일봉은 그다음 날, 양주봉은 그다음 주, 양월봉은 그다음 달 혹은 물리면 이익을 내는데 몇 개월이라는 시간이 필요합니다. 그 밖의 다른 매매법도 하루에서 5일의 시간이 필요합니다. 아울러 실제 어떤 매매법이든지 이 책을 읽는 독자들이 실제 매매를 해본다면 성공에 대한 경험이 많은 매매법을 자주 사용할

가망성이 높기 때문에 필자가 "어떤 매매법을 사용하라"고 말씀 드리는 것이 큰 의미가 없습니다.

즉 Chapter. 5에서 정리해 놓은 성공 확률보다는 본인이 긍정적인 경험을 많이 해본 매매법을 성공 확률이 높다고 생각하고 더 빈번하게 매매할 것입니다. 따라서 어떤 매매법을 어떻게 활용할지에 대한 정답은 없습니다.

다만 필자의 경우에는 여러 가지 매매법을 섞어서 사용하고 있습니다. 예를 들어 '상다 매매'할 종목이 나오면 아침에 상다매매를 하고 이 책에는 소개하지 않았지만, 아침에 상승률 순위에 상위로 올라오는 종목 중에서 기업의 재무 구조에 큰 문제가 없는 종목의 '3분봉'을 보다가 잠시 볼린저 밴드 중심선이나 황금비율에 오면 매수하고 반등하면 팔고 나오는 전략을 사용합니다.

그리고 장대 양일봉 혹은 장대 양주봉, 황금비율 전략, 20일 MA 상승 반전, 골든크로스 종목 그 밖의 여러 가지 전략을 골고루 섞어서 사용하고 있습니다. 현재로서는 감사하게도 이익이 높습니다. 성공 확률이 가장 높은 '장대양월봉' 매매는 아직 하지 못해보고 있는데 그동안 매매했던 전략을 바꿔 장대 양월봉 매매에 적극 도전해 보고자 합니다.

Daniel의 투자 경험 Essay 9

Q: 위에서 소개하신 상다매매는 너무 위험한 것이 아닌가요? 한 번 물리면 굉장히 큰 손해를 볼 것 같은데요? 상다매매를 해도 되나요? 불안합니다.

A: '상다매매'는 위험하지만 아이러니하게도 필자가 상다매매를 하다가 손절하고 손해 본 적은 단 한 번도 없습니다. 상다매매를 하다가 물린 경험은 여섯 번 정도 되는 것 같은데 이 책에 써놓은 '상다 매매할 때 주의할 점'을 읽어보고 철저히 지킨다면 실패 확률을 15% 밑으로 낮출 수 있을 것입니다.

앞에서도 언급했지만 주의할 점은 최소한 기업 내용에 이상이 없는 종목이면서 저평가 종목을 골라야 하고 밑바닥에서 올라온 종목을 골라야 하며 주가가 하락하더라도 상승 이슈가 사라지지 않을 종목을 골라야 합니다. 매수한 가격 밑으로 크게 빠지면 '황금비율' 매매로 전환하여 매수 단가를 줄이는 작업을 치밀하게 해야 합니다. 위에서 말한 원칙을 지키고 기다리면 주가는 반드시 반등할 것입니다. 필자는 너무 자주 하지만 않는다면 '상다매매'는 수익률을 올려주는 효자 매매법이라고 생각하고 있습니다.

Q: 주식투자에서 제일 어려운 것이 '매도 전략'이라고 하는데 27년간 투자하시면서 매도를 어떻게 해야 그나마 효율적인지 좋은 방법이 있으면 알려주세요.

A: 누구도 '제일 꼭지에서 매도할 수 없다'는 것은 다 아실 것입니다. "매수는 기술이고 매도는 예술이다." 라는 말이 있습니다. 하지만 그나마 효율적으로 매도할 수 있는 방법에 대해서는 연구해 보아야 합니다. 필자도 효율적인 매도 법에 대해 많은 고민을 해봤습니다. 저는 볼린져 밴드를 이용한 매도법을 사용합니다. 이제부터 말씀드릴 볼린져 매도법은 분봉, 일봉, 주봉, 월봉 전부 해당되므로 각자의 상황에 따라 같은 방식으로 매도하시면 됩니다.

왜 주식투자에서 100% 완벽한 매도는 없을까? 라는 의문을 가진 적이 있었는데 저는 '절대자가 내 욕심대로 다 먹게 내버려 두지 않기 때문'이라고 이해하게 되었습니다. 그렇지만 연구해 보면 그나마 효율적으로 매도하는 방법이 아예 없는 것은 아닙니다.

대부분 개인투자자들은 감을 이용해 매도하고 기술적 분석 도구의 매도신호에 따라 매도하는 것은 주로 기관이나 외국인일 것입니다. 제 글을 잘 읽어보시고 앞으로 매도하실 때 잘 활용하신다면 그나마 후회를 줄이실 수 있을 것으로 생각합니다.

초보자들을 위해 '볼린저 밴드'에 대해 잠깐 소개드리고자 합니다. 볼린저 밴드는 1980년대 초에 '쟌 볼린저'라는 사람이 만든 주식투자 도구로 "주가의 변동에 따라 상하밴드의 폭이 같이 움직이게 하여 주가의 움직임을 밴드(상한선, 중간선, 하한선) 내에서 파악하는 기술적 도구"입니다.

볼린저 밴드는 독자 여러분이 사용하시는 증권사의 HTS를 열어보시면 설정하실 수 있는데요. 아래와 같이 생겼습니다.

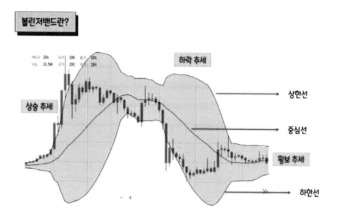

Picture Source From: Jun Talk

주가가 위 그림에서 보시는 상한선, 중간선, 하한선을 가진 띠 (밴드) 내에서 움직일 확률이 무려 95.44%랍니다. 따라서 상한선을 벗어날 확률은 2.28% 하한선을 벗어날 확률도 2.28%에 불과합니다. 이러한 사실에 착안하면 비교적 고점에서 매도하는 방법은 내가 보유하고 있는 종목의 주가가 상한선을 벗어나면 매도하지 말고 보유하고 있다가 상한선을 벗어난 상태에서 몸통이 어느 정도 있는 파란색 음봉이 나오면 그 시점에서 바로 매도하는 것입니다. 이런 식으로 매도하면 후회하지 않을 확률이 상당히 높습니다.

만일, 본인이 초단타 매매자라면 '3분봉'을 보면서 매도 시점을 정하고 단기매매자라면 일봉을 보면서 매도 시점을 정하고 장기 투자자라면 월봉보다는 주봉을 보면서 매도 시점을 정하는 것이 가장 효율적입니다.

추세를 판단하기가 어려우면 볼린저 밴드에게 물어보십시오. 위에서 언급했듯이 초단타하시는 분들이나 스윙매매를 주로 하시는 분들은 3분봉이나 일봉 볼린저 밴드에, 중장기 투자하시는 분들은 주봉 볼린저 밴드에게 매도 시점을 물어보면 됩니다. 이제 볼린저 밴드를 이용해 실전에서 어떻게 매도하는지 연습해 보겠습니다. 먼저 아래 그림에서 볼린저 밴드를 이용해서 매도했는데 주가가 더 올라버린 경우를 보여드리겠습니다. 즉 볼린저 밴드 매도가 실패한 경우입니다.

[볼린져 밴드 매도 실패의 예]

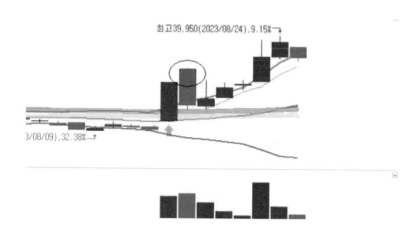

위의 그림을 보면 캔들이 상한선 위로 벗어났다가 몸통이 있는 파란 음봉이 생겨 바로 매도했는데 (노란색 원은 표시한 부분에서 매도했다는뜻 입니다.) 매도 후 계속 양봉이 나와 주가가 더 올라버렸습니다.

하지만 위의 경우는 매우 드문 경우입니다.

지금부터는 제가 연구한 볼린져 밴드 상한선 밖 파란 몸통 음봉 매매의 위력을 보여드리겠습니다. 매도하는 포인트는 주가가 볼린져 밴드 상한선을 벗어나 있으면 보유, 주가가 상한선 밴드를 벗어났다가 비교적 큰 파란 몸통을 가진 음봉이 나오면 바로 매도하는 것입니다. 왜냐하면 몸통이 큰 음봉이 나오면 다시 주가가 하락하면서 볼린저 밴드 안으로 들어오기 때문입니다. (확산 후에는 반드시 수렴이 일어나는 것처럼 말입니다.)

아래 그림들에서 매도하는 포인트는 노란색 원으로 표시했습니다. 아래 그림에서 효율적인 매도가 성공한 경우는 노란원 부분에서 매도 후 주가가 더 하락하는 경우입니다. 그림을 잘 관찰해 보시기 바랍니다.

[볼린져 밴드 매도 성공 예시 1]

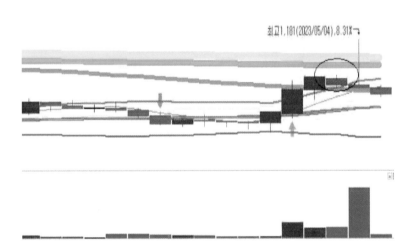

[볼린져 밴드 매도 성공 예시 2]

[볼린져 밴드 매도 성공 예시 3]

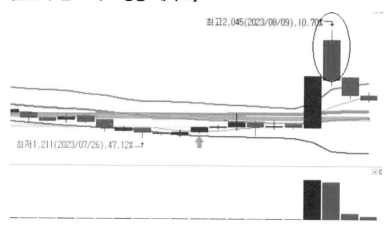

[볼린져 밴드 매도 성공 예시 4]

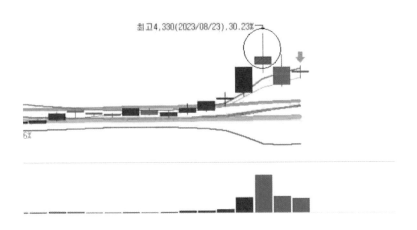

[볼린져 밴드 매도 성공 예시 5]

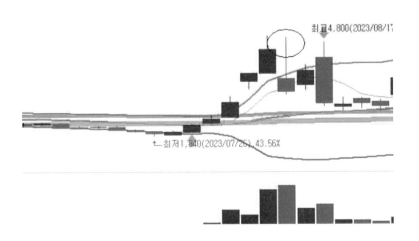

[볼린져 밴드 매도 성공 예시 6]

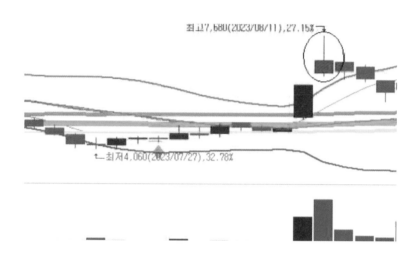

[볼린져 밴드 매도 성공 예시 7]

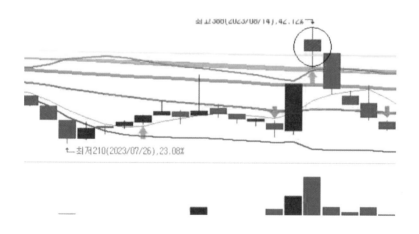

[볼린져 밴드 매도 성공 예시 8]

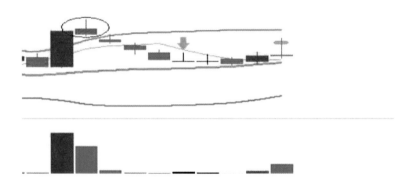

위에서 보시는 것처럼 주가를 보여주는 캔들이 볼린져 밴드 안으로 들어오지 않았고 파란 음봉이 생기지 않으면 매도하지 말고 지속 보유해야 합니다.

참고

볼린져 밴드 밖에서 길이가 긴 십자형 도지가 나오면 중립이라 상당히 판단하기 어렵습니다. 그래도 오르는 경우가 더 많아서 간이 크시다면 보유하다가 비교적 몸통이 있는 음봉이 생기면 바로 매도하는 것도 괜찮은 전략입니다. 장기투자자라면 항상 음봉이 생길 것인지 면밀히 관찰하고 있다가 1주일, 즉 5거래일

안에 음봉이 만들어질 기미가 보이면 바로 매도해야 합니다. 동작이 느리면 볼린저 밴드 밖으로 벗어났다가 파란 장대 음봉 이 만들어지면서 볼린저 밴드 안으로 들어와 주가가 더 폭락하 는 경험을 하게 됩니다.

주의

 재무 구조가 아주 안 좋은 망할 기업은 볼린저 밴드고 뭐고, 다 안맞습니다. 그러니 위험한 기업은 아예 매수하지 않아야 합 니다. 제가 가장 고점에서 매도하는 방법은 없다고 말씀드렸습니 다. 위의 여러 예시에서 제시한 방법을 잘 활용하시면 그나마 후회 없는 매도를 하실 확률이 높습니다. 이 글을 잘 참고하셔 서 더 효율적으로 매도하는 방법을 본인 스스로 연구 해보시고 후회를 줄일 수 있는 매매 하시기를 바랍니다.

Daniel의 투자 경험 Essay 11

Q: 주식 시장에 진짜 작전 세력이 있나요? 그리고 끼 있는 종목이 있다고 하는데 끼 있는 종목이란 어떤 종목을 말하는 것입니까?

A: 주식시장은 돈이 왔다 갔다 하는 곳입니다. 독자 여러분들도 돈을 벌기 위해 일을 하지 않습니까? 당연히 주식 시장에는 우리가 모르는 작전 세력들이 있습니다. 작전이라는 것은 자연스러운 시가 형성이 아닌 어떤 세력에 의해 시세가 조종되는 것을 말합니다. 이런 불공정 거래는 한국 주식 시장의 시세를 왜곡시키고 개인투자자들에게 큰 피해를 주기 때문에 독자 여러분들도 작전 세력에 대해 공부를 많이 하시는 것이 좋습니다. 거주 하시는 곳 주변의 도서관에 가시면 작전에 관한 책들이 많이 있습니다. 한 번 읽어 보시면 한국 시장이 얼마나 허술한지 알 수 있습니다. 작전 세력을 잡아내는 거래소의 시스템이 발전한다면 작전 세력이 그것을 피해 가는 시스템은 거래소보다 더 발전해 있습니다. 한마디로 못 잡는다는 말입니다. 작전에 대해서는 필자가 공부한 것이 많아 할 이야기가 많지만 지면이 한정된 관계로 주식 시장에는 작전 세력이 아주 많다. 한국 시장은 작전이 판을 친다. 정도로 아시면 될 것 같습니다.

아울러 끼 있는 종목에 대해 질문하셨는데 끼 있는 종목이란 작전 세력들이 그 종목에 핑계를 붙여 자주 들어 올렸다 낮다 하는 종목을 말합니다. 여기서 작전 세력들이 갖다 붙이는 핑계는 실제로 그 기업의 영업이익이나 순이익의 성장에는 큰 관계없이 막연한 기대감으로 주가를 올린다는 말씀입니다. 그럼 '끼'가 있다는 것을 어떻게 알 수 있을까요? 그 기업의 주가를 기록한 캔들의 크기를 보면 알 수 있고 주기적으로 꼬리를 길게 단 것을 보면 알 수 있습니다. 이 책을 쓰고 있는 현재 필자가 생각하는 끼 있는 종목들이 있는데 아래에 나열해 보겠습니다. 아래의 종목들은 어떤 핑계로든 주가를 들어 올릴 수 있으므로 주가가 바닥에 있을 때는 관심을 가져 보는 것이 좋습니다.

양지사, 플랜티넷, 동방, 갤럭시아에스엠, 갤럭시아머니트리, 랩지노믹스, 혜인, 흥구석유, 덕성, 동국알앤에스, 삼아제약, 안국약품, 부광약품, KTis, 제주반도체, 푸른저축은행, 빅텍, 경동제약, 경인전자, 대성미생물, 샘표식품, 한솔로지스틱스, 태웅로직스, 이루온, 신성델타테크, 제일테크노스, 린드먼아시아, 한일화학, 희림, 메가엠디, YBM넷, 진바이오텍, 경남스틸, 아가방컴퍼니, 유유제약, 신풍제약, 시공테크, PN풍년, 동신건설, 모나미, 서연탑메탈, 제주은행, 삼성출판사, 국일신동, 옵투스제약, 잇츠한불, 비츠로테크, 고려제강, 경동인베스트, 폴라리스 AI, 한화투자증권우, 덕성우 등입니다.

Q: 공부도 안하고 남 이야기 듣고 주식을 잘못 사서 꼭지를 잡았습니다. 손절해야 할까요? 아니면 계속 가지고 있어야 할까요? 판단을 내리기가 어렵습니다.

A: 누구나 주식투자를 처음 할 때는 남의 이야기를 듣고 주식을 매매하게 됩니다. 초보자들이 주식 시장이 활황일 때 들어가면 대개 초기에 돈을 좀 벌다가 꼭지를 잡을 확률이 굉장히 높습니다. 주식투자는 아무도 거들떠보지 않을 때 하는 것입니다. 매수하신 기업을 역사적 고가에 사신 것인지 확인해 보십시오. 역사적 고가에 매수하신 것이라면 언제 그 가격이 다시 올지 기약이 없습니다. 하지만 월봉 혹은 년봉상 중간 가격에 매수했고 기업의 성장성이 지속된다면 단기에 크게 손해보고 있을지라도 기다리시면 그 가격에 파실 기회가 옵니다. KOSPI 대형주는 주가의 움직임 폭이 아주 크지는 않지만 KOSDAQ 소형주는 주가의 움직임 폭이 엄청나게 큽니다. 따라서 기업의 성장성이 뒷받침만 된다면 반토막 나는 것은 아무것도 아닙니다. 실제로 주가가 회

복되면 몇 배 오르는 것은 비일비재하기 때문입니다. 다만 기업도 나쁘고 가격도 비싸게 샀다면 교체 매매를 고려해야 합니다.

교체 매매란 시장이 안좋을 때 내가 산 종목을 손해보고 팔아버리고 앞으로 유망하지만, 똑같이 많이 하락해 있는 종목으로 갈아타는 것입니다. 즉 이 종목을 사면 앞으로 두 배 정도는 충분히 올라갈 수 있는 끼 있는 종목으로 바꿔서 매매하는 것입니다.

필자는 꼭지에 산 적이 없어서 기업 분석이나 기술적 분석을 바르게 하고 산 것이라면 손절하지 않고 돈이 생길 때 더 매수하여 평균단가를 낮춥니다. 코로나 때 교체 매매를 해본 적이 딱 한 번 있었는데 제가 들고 있던 종목을 손해를 보고 팔아버리고 은행주가 바닥에 있어서 그것으로 교체했더니 경기가 회복되자 두 배 이상 주가가 올라 손해 보던 것을 전부 상쇄하고 이익을 가져다준 적이 있습니다. 결론은 본인이 판단하는 것이지만 앞으로는 공부를 충분히 하시고 주식투자를 하셔야 합니다.

Chapter 5.
성공 확률 총정리와
Odds & Ends

(1) 각종 단기 매매법 성공 확률 총정리

1) 여러 가지 단기 매매법 성공 확률

**20 MA 상승 반전 1주 내 성공률	5일 MA 골든크로스 1주 내 성공률
600개 / 555개 싱공	350개 / 305개 성공
**92.5%	87.1%
최고가 평균 6.09%	최고가 평균 6.4%

5/20/60 MA 정배열 1주 내 성공률	5/20/60 MA 밀집 1주 내 성공률
100개 / 83개 성공	100개 / 85개 성공
83%	85%
최고가 평균 12.77%	최고가 평균 3.8%

5일 MA(1주 내) 상향 돌파 성공률	**20일 MA(1주 내) 상향 돌파 성공률
100개/88개 성공	100개/92개 성공
88%	**92%
최고가 평균 6.77%	최고가 평균 6.79%

20일 매물대(1주 내) 상향 돌파 성공률	60일 매물대(1주 내) 상향 돌파 성공률
100개/87개 성공	100개/89개 성공
87%	89%
최고가 평균 4.98%	최고가 평균 6.49%

52주 신고가 경신 1주 내 성공률	**투자주의 종목 1주 내 성공률
100개/86개 성공	100개/93개 성공
86%	**92.3%
최고가 평균 14.32%	최고가 평균 12.35%

1) 여러 가지 단기 매매법 성공 확률 다른 Version.
(KOSPI 2,600~2,450 박스권에서 조사)

투자 방식	5영업일 내 1% 이상 상승확률	1주일 내 최고가 평균
20일 MA 상승반전	92.5%	6.09%
5일 MA G/C	87.1%	6.4%
5/20/60MA정배열	83%	12.77%
5/20/60 MA 밀집	85%	3.8%
5일 MA 상향 돌파	88%	6.77%
20일 MA 상향돌파	92%	6.79%
20일 매물 상향돌파	87%	4.98%
60일 매물 상향돌파	89%	6.49%
52주 신고가 경신	86%	14.32%
투자주의	91.9%	12.35%

2) 여러 가지 단기 매매법 성공 확률
(KOSPI 2,590~2,430 10일 연속 하락장 때 조사)

투자 방식	5영업일 내 1% 이상 상승 확률	1주일 내 최고가 평균
20일 MA 상승반전	76.7%	8.21%
5일 MA 골든크로스	76.5%	6.54%
다중 이평 돌파매수	77.9%	6.93%
5일 MA 상승 반전	75.8%	6.56%
5일 MA 상향 돌파	73.3%	7.84%
20일 MA 상향돌파	80.5%	6.51%
20일 매물 상향돌파	75.3%	7.33%
60일 매물 상향돌파	71.2%	6.98%
52주 신고가 경신	83.8%	12.83%
5일 매물 상향 돌파	72.2%	9.55%

필자는 시장이 아주 안 좋을 때 위 각 매매법의 성공 확률이 어느 정도 되는지 조사해 보았다. 이 연구를 시작할 때는 시장이 무려 10일간 하락 중이었는데 결과를 보면 시장이 안 좋으면 모든 매매도 안 좋은 영향을 받고 있었다. 20일 MA가 상승 반전하는 것을 사는 매매나 골든크로스 매매가 박스권 장에서 1% 이상 상승할 확률이 90% 가까웠는데 시장이 안 좋아지니 성공 확률이 70% 중반대로 떨어졌다.

3)   여러 가지 단기 매매법 최종 성공 확률
(시장이 좋든 나쁘든 종합한 통계, 2,434종목 조사)

투자 방식	5영업일 내 1% 이상 상승 확률	1주일 내 최고가 평균
20일 MA 상승 반전	84.6%	7.15%
5일 MA 골든크로스	81.8%	6.47%
5/20/60 MA 정배열	83% (박스권만 조사)	12.8%
5/20/60 MA 밀집	85% (박스권만 조사)	3.8%
5일 MA 상향 돌파	80.7%	7.3%
20일 MA 상향 돌파	86.3%	6.65%
20일 매물 상향돌파	81.2%	6.16%
60일 매물 상향돌파	80.1%	6.74%
52주 신고가 경신	84.9%	13.6%
투자주의	91.9% (박스권만 조사)	12.35%
다중 이평 돌파	77.9% (최악시장만 조사)	6.93%
5일 MA 상승 반전	75.8% (최악시장만 조사)	6.56%
평균	평균 82.8% 성공	최고가 평균 7.72%

필자는 시장이 박스권 상황일 때와 하락장일 때 둘 다의 확률을 종합
하여 각 매매법의 성공 확률을 총정리해 보았다. 결과는 위의 표와 같
다.

4) 5가지 단기 매매법 성공 확률

(첫 장대양일봉, 첫 장대양주봉, 첫 장대양월봉, 상다매매, 황금
비율 매매 성공 확률, 1,233종목 조사)

	일봉	주봉	월봉	황금비율	상다매매
샘플개수	200	300	233	200	300
성공개수	146	216	188	176	256
성공확률	73%	72%	80.7%	88%	85.3%
성공개수 (5일 이내)	174	–	–	–	–
성공확률 (5일 이내)	87%	–	–	–	–
성공개수 (4주 이내)	–	–	–	–	–
성공확률 (4주 이내)	–	–	–	–	–
성공개수 (3% 이상)	–	–	–	–	242
성공확률 (3% 이상)	–	–	–	–	80.7%
성공개수 (5% 이상)	–	–	–	–	207
성공확률 (5% 이상)	–	–	–	–	69%
평균수익률 (최고가)	9.3%	12.6%	33.7%	–	12.6%

5) 이 책에 나오는 10가지 단기 매매 전략 성공 확률 총정리 (시장이 좋든 나쁘든 10가지 매매법 총정리, 3,667종목 조사)

투자 방식	5영업일 내 1% 이상 상승 확률	1주일 내 최고가 평균 혹은 성공 조건
1.20일 MA 상승	84.6%	7.15%
2. 52주 신고가	84.9%	13.6%
3. 투자주의 종목	91.9% (박스권만 조사)	12.35%
4. 5/20/60 MA 정배열	83% (박스권만 조사)	12.8%
5. 5일 MA G/C	81.8%	6.47%
6. 황금비율 매매	88%	1주 2% 상승 시
7. 양일봉 매매	74.5% (1주 후 85.5%)	1일 2% 상승 시
8. 양주봉 매매	72%	1주 4% 상승 시
9. 양월봉 매매	80.7%	1월 6% 상승 시
10. 상다매매	85.3%	1일 2% 상승 시

(2) 5가지 단기 매매 종목 선정 TIP

앞부분에서 20일 MA 상승 반전 종목, 5일 MA가 20일 MA를 골든크로스 하는 종목, 5일, 20일, 60일 MA가 정배열인 종목, 52주 신고가 종목, 투자 주의 종목에 대해서는 어떻게 검색하여 고르는지 설명하였는데 첫 상내 양일봉, 첫 장대 양주봉, 첫 징대 양월봉, 상다매매, 황금비율 매매는 구체적으로 어떻게 종목을 선정해야 하는지 궁금한 독자가 많을 것이다. 따라서 이번에는 이러한 매매법의 종목 선정 요령에 대해 더 구체적으로 설명해 보고자 한다. 잘 숙지하여 실전에 적용한다면 필자가 위에서 제시한 성공 확률을 누릴 수 있을 것이다. 앞에서도 언급했지만, 필자는 삼성증권 HTS를 쓰는데 다른 모든 증권사의 HTS도 같은 기능과 비슷한 화면이 있으니, 독자분들이 사용하는 HTS에서 잘 찾아서 활용하기를 바란다.

1) 1단계: 당일 상승 순위에서 상한가를 기록한 것에서부터 10% 상승한 종목까지 골라낸다. (아래 그림의 이원컴포텍에서 노루홀딩스까지를 말한다.)

순위	종목명	현재가	등락폭	등락률	거래량	기준값
1	이원컴포텍	4,120 ↑	950	29.97%	578,849	29.97
2	머큐리	8,370 ↑	1,930	29.97%	15,296,035	29.97
3	애드바이오텍	4,910 ↑	1,130	29.89%	2,562,349	29.89
4	노루홀딩스우	48,900 ↑	11,250	29.88%	35,631	29.88
5	노루페인트우	25,450 ↑	5,840	29.78%	86,937	29.78
6	에이스테크	2,425 ↑	556	29.75%	2,537,727	29.75
7	신풍	1,131 ▲	258	29.55%	15,647,524	29.55
8	에코바이오	8,240 ▲	1,780	27.55%	18,491,657	27.55
9	유유제약2우B	14,490 ▲	3,100	27.22%	21,883	27.22
10	토마토시스템	5,960 ▲	1,140	23.65%	18,220,970	23.65

11	에스와이	6,250 ▲	1,090	21.12%	33,761,988	21.12
12	케이바이오	367 ▲	56	18.01%	34,763,404	18.01
13	소룩스	20,100 ▲	3,020	17.68%	5,812,659	17.68
14	라이콤	3,300 ▲	460	16.20%	34,861,693	16.20
15	조비	15,840 ▲	2,180	15.96%	3,442,350	15.96
16	SBS	30,200 ▲	3,800	14.39%	1,019,628	14.39
17	KG케미칼	8,910 ▲	1,110	14.23%	29,913,685	14.23
18	케이엠더블유	12,350 ▲	1,530	14.14%	2,461,203	14.14
19	센서뷰	5,780 ▲	580	11.15%	9,571,736	11.15
20	희림	8,490 ▲	840	10.98%	10,847,325	10.98
21	FSN	3,000 ▲	295	10.91%	7,759,364	10.91
22	리노스	887 ▲	87	10.88%	11,052,447	10.88
23	대원강업	6,230 ▲	610	10.85%	3,902,726	10.85
24	비투엔	2,390 ▲	230	10.65%	13,597,351	10.65
25	유유제약1우	4,850 ▲	460	10.48%	284,991	10.48
26	노루홀딩스	12,250 ▲	1,150	10.36%	1,425,877	10.36

2) 2단계: 관심 종목을 저장한다.

위의 종목 중에서 상한가 간 것들은 '상다매매'에 사용되는데 필자는 상한가'라는 제목으로 이러한 종목들이 저장되어 있다. 20% 이상에서 상한가까지 기록한 종목 중 바닥권에서 올라온 종목은 첫 장대양일봉, 첫 장대양주봉, 첫 장대양월봉에 다 저장한다. 15% 이상 20% 미만 상승 종목은 첫 장대 양주봉, 첫 장대 양일봉 종목에만 입력하고 10% 이상 15% 미만까지의 상승 종목은 첫 장대양일봉에만 저장한다. 따라서 두 가지 조건을 다 충족하고 상한가를 기록한 종목은 상다매매, 첫 장대 양일봉, 첫 장대양주봉, 첫 장대 양일봉이라는 관심종목에 다 기록해야 한다. 다만 기업 내용 양호, 바닥에서 첫 상승, 두 가지 조건을 충족한 종목만 매매 후보가 된다.

3) 3단계: 상다매매 종목 고르는 요령

관심	순위	매매상위	지수구성	시장투자	시장프로	세계지수

전체 ▼ 등락률 ▼ 상위 ▼ ☐ ↕연동 현재가 ▼ 관심등록 ⚙ 조회

순위	종목명	현재가	등락폭	등락률	거래량	기준값
1	이원컴포텍	4,120 ↑	950	29.97%	578,849	29.97
2	머큐리	8,370 ↑	1,930	29.97%	15,296,035	29.97
3	애드바이오텍	4,910 ↑	1,130	29.89%	2,562,349	29.89
4	노루홀딩스우	48,900 ↑	11,250	29.88%	35,631	29.88
5	노루페인트우	25,450 ↑	5,840	29.78%	86,937	29.78
6	에이스테크	2,425 ↑	556	29.75%	2,537,727	29.75

오늘 상한가 간 종목은 위의 여섯 종목인데 이 종목 중 우선주 두 종목은 제외하고 나머지 네 종목 중에서 다음 조건에 충족된 종목을 골라야 한다. 이 조건은 첫 장대 양일봉, 양주봉, 양월봉에도 전부 해당되는 조건이다. ① 바닥에서 막 올라온 종목 ② 기업 가치가 고평가되어 있거나 지속 적자가 아닌 종목이어야 한다. 확인해 보니 이원컴포텍은 적자라서 탈락, 머큐리는 회계연도 기준으로 적자 회사가 아니므로 한 가지 조건에는 충족되지만, 바닥에서 올라온 것이 아니고 이미 두 번 이상 상승한 종목이라 역시 탈락이다. (아래 그림 참조)

머큐리 100590 코스닥 2023.09.13 기준(장마감) 현재가 기업개요 ▼

8,370
전일대비 ▲1,930 +29.97%

| 전일 6,440 | 고가 8,370 (상한가 8,370) | 거래량 15,283,746 |
| 시가 6,420 | 저가 6,410 (하한가 4,510) | 거래대금 116,622 백만 |

선차트 1일 1주일 3개월 1년 3년 5년 10년   봉차트 일봉 주봉 월봉

최고 8,370 (09/13)

최저 4,780 (07/26)

(머큐리는 오늘 말고 그 전에 두 가지 조건을 다 충족했으므로 필자의 HTS에 이미 저장되어 있다. 상다매매, 첫 장대 양일봉, 양주봉, 양월봉 관심 종목에 다 저장해야 하는데 아마 필자가 이 책에 적은 매매법대로 이 종목을 매매했더라면 수익이 크게 났을 것이다.) 애드바이오텍은 바닥에서 처음 거래량을 터뜨리며 올라온 종목은 맞지만, 적자가 심한 종목이라 탈락이고 에이스테크 역시 적자가 심한 종목이어서 탈락이다. 결과적으로 여섯 종목 중에서 내일 '상다매매' 할 종목은 없다.

4) 4단계: 첫 장대 양일봉 (양주봉, 양월봉) 종목 선정 요령

위의 상다매매 종목 고르는 방법과 마찬가지로 오늘 10%에서 상한가까지 상승한 종목 중에서 ① 바닥에서 막 올라온 종목 ② 기업 가치가 고평가되어 있거나 지속 적자가 아닌 종목 이 두 가지 조건을 충족하는 종목을 고르고, 매수 하기로 결정하면 시간외에서 매수하거나 장중에 오르는 종목을 이미 분석하고 있다가 종가로 매수해도 된다. 이것에 해당하는 종목 중 '에스와이'라는 종목이 있는데 이 종목은 기업의 재무 구조에는 큰 이상이 없지만 바닥권이 아니고 이미 주봉이 상당히 올라온 상태이므로 매매하지 않는다. (아래 그림 참조)

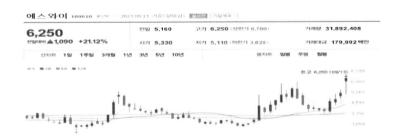

위 26종목 중 재무 구조에 이상 없고 바닥에서 처음 올라온 종목 즉 단기 매매가 가능한 종목은 SBS와 노루홀딩스인데 SBS와 노루홀딩스는 각각 14.39%, 10.36% 올랐으므로 첫 장대양일봉 종목에만 해당한다. 만일 SBS가 밑바닥에서 15% 이상 20% 미만 사이로 올랐다면 첫 장대양일봉, 첫 장대양주봉 둘 다에 해당하고 20%에서 30%까지 오르고 두 가지 조건을 충족했다면 상다매매(상한가일 경우에만), 첫 장대양일봉, 첫 장대양주봉, 첫 장대양월봉 매매에 전부 다 해당한다.

SBS 034120 코스피 · 2023.09.13 기준(장마감) 실시간 기업개요 ·			
30,200	전일 26,400	고가 32,000 (상한가 34,300)	거래량 993,843
전일대비 ▲3,800 +14.39%	시가 26,350	저가 26,350 (하한가 18,500)	거래대금 29,681 백만

선차트 1일 1주일 3개월 1년 3년 5년 10년   봉차트 일봉 주봉 월봉

■5 ■20 ■60 ■120

최고 32,100 (06/21)

최저 24,900 (07/26)

- 262 -

위의 그림에서 노루홀딩스 일봉을 보면 바닥에서 올라온 것이 아닌 것 같지만 주봉을 확인해 보면 거의 바닥권이다. 그리고 일봉이 거의 정배열 상태가 되면 주가가 탄력을 받아 더 잘 오르는 경향이 있다. 다만 주봉이나 월봉이 정배열 상태가 되면 이미 주가가 많이 오른 경우라서 필자는 이런 경우에는 매매하지 않는다.

5) 5단계: '황금비율' 종목 선정 요령

필자는 첫 장대양일봉, 첫 장대양주봉, 첫 장대양월봉 종목이 나오면 관심 종목에 입력하고 종종 Chart를 확인한다. 이 관심 종목들의 Chart를 돌려보다가 일봉이든 주봉이든 월봉이든 장대양봉의 약 30%, 50%, 60% 조정받고 아래로 내려온 종목은 '황금비율'이라는 제목으로 관심 종목에 입력해 두고 매수를 고려한다. 정확하게 몇 %에 매수하라고 규정하지 않는 이유는 30%만 조정받고 올라가는 경우도 있고 50% 조정받고 올라가는 경우도 있고 60% 더 하락했다가 올라가는 경우도 있기 때

문이다. (물론 약 12% 확률로 아예 밑바닥까지 떨어지는 일도 있다) 필자가 최근에 매매한 종목은 '희림'이라는 종목인데 기가 막히게 '황금비율'에서 반등을 주어 필자에게 이익을 안겨주었다. ('황금비율' 종목은 두 가지 조건을 이미 충족한 것들을 저장한 것이므로 두 가지 조건이 충족되는지 확인할 필요가 없다) 아래에 필자가 매매한 희림이라는 종목을 보면 바닥에서 큰 장대 양봉이 만들어진 후에 주가가 조정을 받다가 크게 반등하는 것을 볼 수 있다. 황금비율 종목을 잘 선정하기 위해서는 평상시에 상승 순위 상위에 올라온 종목을 잘 분석하여 HTS에 첫 장대양일봉, 첫 장대양주봉, 첫 장대양월봉이라는 제목을 붙여 관심 종목으로 잘 저장해두고 Chart를 자주 돌려보아야 한다. 아래 그림에서 희림의 반등 시점을 잘 분석해 보자.

[네이버 증권 Capture]

마지막으로 필자는 아래 그림과 같이 제목을 정하고 HTS에 관심 종목을 저장하고 있다. '상한가 17'은 상한가 간 종목을 모아둔 부분이고(현재 '상한가 17'까지 기록하였으니 무려 3,400 종목이 저장되어 있다.) '시간 외 상한가'는 말 그대로 시간 외에서 상한가 간 종목, 첫 장대양일봉, 첫 장대양주봉, 첫 장대양월봉이라는 그룹명에는 해당하는 종목을 입력하고 있다. 정배열 관심주는 일봉만 정배열이 된 종목을 저장한 것이다. 독자 여러분들도 그룹명을 정할 때 참고하기를 바란다.

53 첫장대양일봉 4	∨ ▼	등록	등록순
45 정배열유망주 1 (신고가포함)		(200)	▲
46 월봉바닥주		(100)	
47 첫장대양월봉 2		(80)	
48 첫장대양주봉 3		(122)	
49 3년지속고배당주		(116)	
50 정배열유망주 2		(200)	
51 시간외상한가 7		(133)	
52 상한가 17		(169)	
53 첫장대양일봉 4		(89)	
54 초관심주		(59)	▼

(3) 책을 마치면서

필자가 IMF 무렵에 처음 주식에 투자하였으니 벌써 27년이라는 시간이 흘렀다. 마지막 8년 동안은 단기 매매 연구하느라 단 하루도 빼놓지 않고 주식시장을 관찰하고 실험하면서 보냈다. 필자는 누구보다 주식투자로 성공하고자 하는 열망이 강하다. 수만 명의 학생들을 가르쳤지만, 필자의 진짜 직업은 투자자였던 것 같다. 이제 27년 투자 경험과 8년 간의 실험 끝에 어떻게 주식투자로 의미 있는 성과를 낼 수 있을지에 대한 해답을 얻게 되었는데 그동안의 투자 인생을 총정리 하기 위해 이 책을 세상에 내놓게 되었다. 이 책도 역시 정규 출판사에서 출판하는 것이 아니기 때문에 많은 독자들이 접하지는 못할 것으로 생각하지만, 이 책에 들어 있는 정보는 그 어떤 책, 그 어떤 연구 논문보다 현장에서 직접 실험하고 매매하면서 얻은 살아있는 정보이다. 필자는 2025년 2월 말을 끝으로 은퇴를 마음먹었다. 더 빨리 은퇴했더라면 하는 아쉬움이 많이 있지만 이제서야 드디어 영광스러운 Value Trader로 거듭날 기회를 얻게 되었다. 이 책에 등장하는 매매법은 다른 어떤 매매법보다 성공 확률이 높다. 이미 필자가 수도 없이 실험하고 검증하면서 얻게 된 결과이다. 필자는 은퇴하면 이 책의 모든 매매법에 근거하여 주식시장에 도전할 것이며 그 열매는 풍성할 것이라 확신한다. 이 책을 읽는 독자분들도 포기하지 말고 필자의 경험을 나침반 삼아 보다 더 노력하고 정진한다면 분명 차고 넘치는 열매를 거두게 될 것이라 믿는다. 좋은 결과를 기대해도 좋다. Good Luck !!